EIN STORI NI

I'm cyfaill Mike

EIN STORI NI

GOLWG NEWYDD AR HANES Y CYMRY

EMRYS ROBERTS

Argraffiad cyntaf: 2017

Cynllun y clawr: Olwen Fowler

Rhif Llyfr Rhyngwladol: 978 1 78461 396 9

Dymuna'r cyhoeddwyr gydnabod cymorth ariannol
Cyngor Llyfrau Cymru

Cyhoeddwyd ac argraffwyd yng Nghymru
ar bapur o goedwigoedd cynaladwy gan
Y Lolfa Cyf., Talybont, Ceredigion SY24 5HE
e-bost ylolfa@ylolfa.com
gwefan www.ylolfa.com
ffôn 01970 832 304
ffacs 01970 832 782

I ddechrau... gadewch imi ofyn rhai cwestiynau.

Pe bawn i'n siarad am wlad a gynhyrchodd un o feddylwyr blaenaf Ewrop ym maes Mathemateg ac un o'r gwyddonwyr a wnaeth y We Fyd-eang yn bosib, gwlad a gynhyrchodd un o feddylwyr athronyddol mwyaf blaengar Ewrop, un a gafodd ddylanwad mawr ar gyfansoddiad yr Unol Daleithiau yn y ddeunawfed ganrif ac y bu diwrnod galar swyddogol ar ei ôl yn Ffrainc pan fu farw, gwlad a gynhyrchodd un o arloeswyr y mudiad cydweithredol ac un o'r rhai cyntaf i alw am drefn ryngwladol i ddatrys problemau rhwng un genedl a'r llall, a allech chi enwi'r wlad honno?

Pe bawn i'n gofyn gan ba wlad yr oedd y deddfau mwyaf blaengar yn yr Oesoedd Canol, a gydnabu hawliau merched ymhell o flaen neb arall, ac a gynhyrchodd y teulu brenhinol mwyaf effeithiol a'r Prif Weinidog mwyaf dylanwadol a gafodd Prydain erioed, gwlad lle ganed dyn a oedd, os rhywbeth, yn fwy cyfrifol na Charles Darwin am ddatblygu damcaniaeth esblygu, a menyw a fu yr un mor gyfrifol â Florence Nightingale am ddatblygu'r proffesiwn nyrsio, a fyddech chi'n gwybod am ba wlad yr oeddwn yn sôn?

Pe bawn i'n ychwanegu mai dyma'r wlad oedd ar flaen y gad ymhlith gwledydd y byd yn y chwyldro diwydiannol, gwlad lle sefydlwyd y dref ddiwydiannol fodern gyntaf erioed, gwlad lle rhedodd y trên ager cyntaf ar gledrau, a gwlad lle chwifiwyd baner goch gweithwyr y byd am y tro cyntaf, fyddai gennych chi well syniad wedyn?

Pe bawn i'n ehangu a dweud bod ei hiaith ddwy waith cyn hyned â'r Saesneg, bod barddoniaeth am ei beirdd yn bwnc gosod ymhob ysgol yn Hwngari, iddi gynhyrchu ar gyfartaledd i'w phoblogaeth fwy o gantorion opera na hyd yn oed yr Eidal, bod trefn addysgu a arloeswyd yno wedi ysbrydoli datblygiadau tebyg yn Rwsia a Chiwba ac iddi gynhyrchu un o'r cyrchfilwyr effeithiol cyntaf erioed, a fyddech chi'n deall wedyn mai am Gymru yr oeddwn i'n sôn?

A man cychwyn yn unig yw hynny! Os hoffech wybod mwy am y cyfraniad enfawr a wnaeth y genedl fechan hon i'r byd, darllenwch y llyfryn hwn. Ychydig o bobl – hyd yn oed yng Nghymru ei hun – sy'n gwybod maint y cyfraniad hwnnw am fod bron pawb, gan gynnwys y Cymry eu hunain yn aml iawn, yn edrych ar ein hanes trwy lygaid nawddoglyd ond anwybodus y Sais.

Cynnwys

Rhagymadrodd

Nid *llyfr arall* am Hanes Cymru! Wel, ie – ond darllenwch ymlaen er mwyn deall pam.

Fel yr awgryma isdeitl y llyfryn hwn, y bwriad yw i daflu golwg newydd ar rai agweddau o'n hanes er mwyn y rheini na wyddant fawr amdano. Doedd dim bwriad gen i ysgrifennu llyfr academaidd am ein stori genedlaethol. Os ydych yn chwilio am rywbeth felly, gwell troi at waith safonol megis *Hanes Cymru* y diweddar Dr John Davies. Dw i ddim ychwaith wedi ceisio talfyrru ein hanes yn stori ddi-dor fel llyfr Gerald Morgan. Er gwaethaf llyfrau fel hyn, mae'n ymddangos i mi na ŵyr nifer fawr o Gymry am hanes ein gwlad. Does gan lawer o bobl ddim syniad beth yw ystyr bod yn Gymro, y tu hwnt i weiddi am y crysau cochion yn hytrach na'r crysau gwynion ar y cae pêl-droed neu'r cae rygbi.

Ymgais yw'r llyfryn hwn i daflu peth goleuni ar y digwyddiadau a'r bobl hynny sy'n ymddangos yn bwysig yn ein hanes, ac sydd yn gyfrifol i raddau helaeth am yr hyn yr ydym yn awr – cipolwg eithaf brysiog, os mynnwch, yn hytrach nag astudiaeth dreiddgar, ond cipolwg fydd yn ein cynorthwyo i ddeall sut y datblygodd y genedl i'w sefyllfa bresennol.

Flynyddoedd maith yn ôl, dywedodd Athro Hanes (Sais go adnabyddus) wrthyf: 'Roberts: eich trafferth chi yw eich bod chi'n ceisio deall hanes – dim ond y ffeithiau sydd eu hangen'. Y ffŵl dwl, meddyliais. Ni welaf lawer o bwynt i ddysgu rhesi o ffeithiau megis tabl mathemateg. Rhaid seilio hanes ar ffeithiau, wrth gwrs, ond mae deall y darlun cyflawn yn bwysicach o lawer. I mi, mae Hanes yn debyg i lun gan un o'r Argraffiadwyr! Dyw manylion y llun ddim yn bwysig iawn. Rhaid sefyll yn ôl rhywfaint er mwyn ei werthfawrogi'n iawn.

Mae'r ychydig a ddysgir am hanes ein cenedl yn ein hysgolion a'n colegau (os unrhyw beth o gwbl!) yn tarddu nid o'n safbwynt ni, ond o safbwynt ein cymdogion, y Saeson. Mae'n anodd credu y byddai'r Saeson yn hapus pe dysgid hanes Lloegr o safbwynt y Ffrancod dyweder, neu y byddai'r Ffrancod yn barod i dderbyn hanes eu gwlad wedi'i ysgrifennu o safbwynt Almaenig neu Seisnig!

Mae'r geiriau 'Wales' a 'Welsh' hefyd, wrth gwrs, yn tarddu o iaith y Sacsoniaid – yn golygu estron, neu ddieithr. Mae'r ymgais i wneud i ni deimlo'n estron yn ein gwlad ein hunain bron wedi ymdoddi erbyn hyn yn bolisi swyddogol – ond dyna oedd y bwriad gwreiddiol, a cheir olion yr hen agwedd hon yn llawer rhy aml hyd heddiw. Wrth ddarllen colofnau llythyrau rhai o'n papurau dyddiol, mae'n amlwg fod rhai pobl yn meddwl ein bod ni sy'n siarad Cymraeg yn lleiafrif breintiedig – ac mai ni sy'n cael yr holl swyddi cyhoeddus gorau. Sut felly bod cynifer o'r swyddi pwysicaf ym meddiant pobl sydd heb fedru siarad Cymraeg, llawer ohonynt heb fod yn Gymry o gwbl, ac i bob golwg yn brin iawn eu cydymdeimlad â'n dyheadau cenedlaethol? Hwyrach mai nhw yw'r bobl orau am y swyddi arbennig hynny, ond mae'n amlwg, gan fod cynifer ohonynt, na chedwir y swyddi gorau i Gymry o gwbl, heb sôn am y Cymry Cymraeg. O safbwynt pobl gyffredin, mae unrhyw un sy'n mynnu'r hawl i ddefnyddio'r Gymraeg yn deall yn syth fod pobl yn edrych arnynt fel tipyn o boen ar y gorau, ac yn aml fel pobl sydd am greu trafferth dianghenraid. 'Pam na wnewch chi siarad Saesneg?' maen nhw'n gofyn, gan dybio nad yw unrhyw iaith arall yn werth ei choleddu.

Agwedd llawer o Saeson yw mai'r unig wahaniaeth rhyngom ni a nhw yw'r ffaith ein bod ni'n siarad gydag acen ryfedd, bod gennym enwau lleoedd nad ydynt yn trafferthu eu hynganu'n iawn, a'n bod ni'n hoffi meddwl ein bod ni'n gallu canu a chwarae rygbi'n dda. Maen nhw'n methu'n lân â deall paham yr ydym yn dewis siarad ein hiaith ein hunain yn hytrach na'u hiaith nhw! Yn yr un modd, wrth gwrs, maen nhw'n meddwl am Albanwr fel Sais sy'n gwisgo cilt, yn chwarae pibgorn a bwyta hagis, ac am Wyddel fel Sais sy'n yfed Guinness trwy'r dydd ac yn dawnsio a dweud straeon am y tylwyth teg! Yn anffodus, gan na ŵyr y Cymry na'r Albanwyr na'r Gwyddyl ddigon am eu hanes eu hunain, ni allant ddadlau hynny.

Hyd yn oed mewn rhai ysgolion (y mwyafrif o bosibl?) lle dysgir trwy gyfrwng y Gymraeg, ni ddysgir llawer am hanes Cymru – sefyllfa warthus na fyddai unrhyw genedl arall yn barod i'w goddef. Ychydig iawn o sylw a roir i Gymru gan y cyfryngau poblogaidd ac ym myd adloniant. Os cydnabyddir ein bodolaeth o gwbl yn anaml iawn y dangosir unrhyw ymwybyddiaeth o beth yw Cymreictod.

Credaf fod yr iaith Gymraeg yn rhan hanfodol o'n treftadaeth – ond bod ymwybyddiaeth o'r ffordd y datblygodd ac y tyfodd y genedl hyd yn oed yn bwysicach. Heb yr ymwybyddiaeth honno sut y gallwn ni ddisgwyl i Gymry di-Gymraeg – heb sôn am fewnfudwyr o Loegr a mannau eraill – weld yr angen i ddysgu'r Gymraeg, gan fod modd ymdopi'n iawn hebddi? Rhaid wrth ryw amgyffred o natur cenedligrwydd ein gwlad os ydy'r Cymry i barhau yn genedl unigryw.

O reidrwydd, mae hanes yn ymdrin â gwirioneddau cyffredinol – yn enwedig mewn llyfryn bychan fel hwn. A dyw gwirioneddau cyffredinol, wrth gwrs, byth yn dweud y stori gyflawn. Yn ddiamau, mae 'na ddigonedd o Gymry sydd ddim yn medru canu'n dda, sydd ddim yn chwarae rygbi a sydd heb unrhyw ddiddordeb yn y gêm. Ond dyw hynny ddim yn tanseilio'r gwirionedd cyffredinol bod y Cymry at ei gilydd – yn enwedig o'u cymharu â chenhedloedd eraill – yn hoffi canu (ac yn aml iawn yn gwneud hynny'n reit dda) ac yn ymddiddori mewn rygbi.

Dyw'r cipolwg ar hanes ein cenedl y ceisiaf ei gynnig yn y llyfryn hwn ddim yn dweud yr holl stori o bell ffordd, wrth gwrs, ond rwy'n gobeithio y bydd e'n ddigon i ddangos paham y dylem fod yn falch iawn o'n cenedl fach ni. Byddwch yn synnu, efallai, mor gyfoethog yw ein hetifeddiaeth!

Yn ôl i'r dechrau

Gwreiddiau Celtaidd

Mae Cymru yn un o genhedloedd hynaf Ewrop. Yn wir, gan fod y genedl yn y bôn – rhywbeth mwy na'r teulu neu'r llwyth – yn ffenomenon Ewropeaidd, mae Cymru yn un o genhedloedd hynaf y byd.

Roedd pobl yn byw yn yr ynysoedd hyn o'n blaen ni, wrth gwrs. Cyn yr Ymerodraeth Rufeinig, at ei gilydd roedd pobloedd Ewrop yn crwydro o fan i fan i chwilio am dir neu fwynau gwell. Daeth pobl i Gymru dros y môr yn bennaf, mae'n debyg, o ardal Môr y Canoldir heibio gorynys Iberia. Daeth y Celtiaid wedyn o'u cynefin yn Awstria a de'r Almaen, dros y tir i arfordir gorllewinol y Cyfandir. Datblygodd y Celtiaid y gymdeithas soffistigedig gyntaf i'r gogledd o'r Alpau. Gellir olrhain gweddillion y Celtiaid – eu gwaith metel cain yn bennaf ond hefyd olion eu hiaith hefyd – mewn sawl man ar y Cyfandir.

Gellir gweld bedd pennaeth Celtaidd pwysig yn agos i dref Hallein yn Awstria (lle gellir cael taflen wybodaeth yn y Gymraeg, gyda llaw, ymysg ieithoedd eraill). Mae'r enw Hallein yn tarddu o'r un gair â'n 'halen' ni. Gellir ymweld â mwynfeydd halen yn yr ardal ac enw'r dref lan-llyn enwog gyfagos yw Hallstadt. Roedd halen yn werthfawr iawn y pryd hwnnw, wrth gwrs, am mai dyma'r ffordd orau (tan yn weddol ddiweddar) o gadw rhai bwydydd rhag pydru dros gyfnod hir. Yn wir, fe dalwyd pobl â halen weithiau (tarddiad y gair Saesneg 'salary' a'r ymadrodd 'he's worth his salt'). Afon bwysicaf yr ardal hon, wrth gwrs, yw Donau (Danube), sy'n tarddu o'r un ffynhonnell â'n gair ni am donnau.

Dros gyfnod, fe ymrannodd iaith y Celtiaid yn ddau grŵp yng ngorllewin Ewrop, sef Goedeleg – a siaredid yn Iwerddon ac Ynys Manaw, ac wedyn yng ngogledd yr Alban – a Brythoneg – a siaredid mewn ardal sydd erbyn hyn yn cyfateb i dde'r Alban, Lloegr, Cymru a Chernyw. Y Brythoniaid, wrth gwrs, yw'r bobl a roddodd i ni'r enw Prydain (Britain). Gellid dadlau bod cenedl Brydeinig (neu Frythonig) yn datblygu, yn y cyfnod hwn, dros yr holl ardaloedd lle siaredid Brythoneg.

Y Rhufeiniaid

Ond wedyn daeth byddinoedd Rhufain – yr ymosodiadau cyntaf ryw 50 mlynedd cyn Crist a'r ymgyrch i oresgyn yr ardaloedd sy'n cynnwys Lloegr a Chymru'n awr ryw 100 mlynedd wedyn. Roedd y gwahanol lwythau Brythonig yn gwrthsefyll y Rhufeiniaid yn ddewr iawn am flynyddoedd lawer o dan arweinwyr megis Caractacus (Caradog) a Boudica (Buddug). Roedd hyd yn oed y Rhufeiniaid eu hunain yn eu parchu am eu dewrder. Cofir Caradog yn bennaf erbyn hyn am ei araith heriol o flaen yr ymerawdwr yn Rhufain ar ôl iddynt ei ddwyn ef yno mewn cadwyni. Mae'n ymddangos i'n traddodiad o areithwyr tanbaid ymestyn yn ôl o leiaf i'r cyfnod hwnnw!

Dywedodd Tacitus, hanesydd enwog y Rhufeiniaid,

fod llwyth y Silwriaid yn ne-ddwyrain Cymru yn ddynion 'grymus, arwrol, rhyfelgar a styfnig' a dywed yr Athro Sheppard Frere mai'r Silwriaid oedd y rhyfelwyr mwyaf effeithiol a gyfarfu'r Rhufeiniaid yn yr ynysoedd hyn, gan wrthsefyll grym Ymerodraeth Rhufain am ryw 25 mlynedd. Roedd y Rhufeiniaid hefyd yn ofni dylanwad y derwyddon Celtaidd – arweinwyr crefyddol a diwylliannol â'u prif ganolfan yn Ynys Môn – a dyna pam yr ymosododd y Rhufeiniaid arnynt gan ladd nifer fawr ohonynt mewn cyflafan erchyll yn ôl yr hanesion llafar.

Yn y pen draw fe lwyddodd y Rhufeiniaid i sefydlu canolfannau milwrol a threfi ar draws yr ardal. Lladin oedd eu haith, a dyna oedd iaith llywodraeth, a gweinyddiaeth, y llysoedd ac adeiladu ac – ar ôl derbyn Cristnogaeth yn grefydd swyddogol yr Ymerodraeth yn y bumed ganrif – iaith sefydliadau crefyddol hefyd.

Genedigaeth yr Iaith Gymraeg

Oherwydd hyn oll, dyma Ladin yn gosod ei marc ar yr iaith Frythoneg, ac o dipyn i beth dyma'r Frythoneg yn newid o dan y pwysau hyn. Dyna oedd ffynhonnell yr iaith Gymraeg a adwaenwn heddiw – datblygiad tebyg iawn i ddatblygiad yr iaith Saesneg o'r iaith Eingl-Sacsonaidd o dan ddylanwad Ffrangeg y concwerwyr Normanaidd ryw fil o flynyddoedd wedyn. Mae'r Gymraeg yn·cynnwys nifer sylweddol o eiriau o darddiad Lladin – yn enwedig ym meysydd adeiladu neu'r eglwys megis 'pont' ac 'eglwys' ei hun. Mae'n ddiddorol sylwi nad oes llawer o eiriau Cymraeg yn ymhél â'r gyfraith sy'n tarddu o'r Lladin – arwydd, efallai, fod gan y Brythoniaid gyfundrefn gyfraith gref cyn i'r Rhufeiniaid gyrraedd.

Yn yr un modd ceir llawer o eiriau o darddiad Ffrengig yn yr iaith Saesneg. Ymhlith y rhai mwyaf diddorol yw'r rheini sy'n dangos mai'r Normaniaid oedd y meistri a'r Sacsoniaid oedd y gweision. Er enghraifft, roedd y Normaniaid yn bwyta 'beef' o'r Ffrangeg '*boeuf*' tra bod y Sacsoniaid yn gofalu am 'cattle' (gair o darddiad Eingl-Sacsonaidd). Yn yr un modd, roedd y Sacsoniaid yn gofalu am 'sheep' a 'pigs' yn y caeau, ond y Normaniaid yn bwyta 'mutton' a 'pork' (o'r Ffrangeg '*mouton*' a '*porc*').

Mae'n ddiddorol sut mae rhai Saeson yn gwawdio'r Gymraeg os clywir gair o darddiad estron yn ein hiaith. Maen nhw'n anwybyddu'r ffaith i'r Saesneg fenthyg nifer fawr o eiriau o ieithoedd eraill hefyd. Rwy'n cofio diplomydd uchel-ael o Sais yn trafod ar y radio berthynas newydd y gorllewin â'r Undeb Sofietaidd pan geisiodd yr Arlywydd Gorbachev sefydlu perthynas fwy cyfeillgar rhyngom. Yr enw a roddwyd ar y berthynas newydd gan y Saeson oedd '*détente*' (gair Ffrengig yn golygu llacio) ond mynnodd y diplomydd hwn y dylem amau dilysrwydd Gorbachev – a'i ddadl bennaf oedd nad oedd gan y Rwsiaid air am '*détente*' yn eu hiaith eu hunain!

Y treigliadau ofnadwy yna

Yn ystod y datblygiadau ieithyddol, pan oedd y Frythoneg yn dechrau newid i'r Gymraeg, ymddangosodd treigliadau yn elfen bwysig yn y Gymraeg. Dyma'r drefn lle mae rhai cytseiniaid yn newid yn sgîl y geiriau sy'n dod yn syth o'u blaenau. Dywedir fod hyn yn achosi anhawster mawr i rai sydd am ddysgu'r Gymraeg, yn enwedig efallai i Saeson.

Esgusodwch fi am funud, imi gael dweud fy nweud am y treigliadau ofnadwy yma – nid y rhai Cymraeg sy'n weddol syml ond y rhai Saesneg sydd lawer mwy cymhleth. Efallai nad oeddech wedi sylwi o'r blaen fod yr iaith Saesneg yn frith o dreigliadau, er – yn annhebyg i'r rhai Cymraeg – mae'r rhan fwyaf ohonynt yn dod tua diwedd geiriau yn hytrach na'r dechrau. Yr un mwyaf cyffredin yw lle mae'r sain 't' yn troi yn 'sh' – e.e. mae 'create' yn troi yn 'creation', 'donate' yn troi yn 'donation' ac ati. Esiamplau eraill yw lle mae'r sain 'd' yn newid i 's', e.e. lle mae 'divide' yn troi yn 'division', a sain 'b' yn newid i 'p' megis mewn 'prescribe' a 'prescription'.

Yn y geiriau 'house' a'r lluosog 'houses', defnyddir y llythyren 's' yn y ddau, ond yngenir yr 's' yn y lluosog fel 'z'. Gall 'v' dreiglo i 'p' megis yn 'receive' a 'reception'. Mae'n ddiddorol sylwi i'r Saeson gadw'r 'p' wrth ysgrifennu gair fel 'receipt' ond nad ydynt yn ei ynganu. Mewn gair tebyg iawn, 'deceit', fe gollir y 'p' yn gyfan gwbl, ond mae'r 'p' yn dangos ei hun eto mewn ysgrifen ac ar dafod yn y gair 'deception'! Gall y llythyren 'f' yn 'roof' droi yn 'v' yn 'rooves', neu yn 'hoof' a 'hooves', 'loaf' a 'loaves'. Yn rhyfedd iawn, gall y sain 'v' droi yn ôl i 'f' weithiau megis yn 'save' a 'safety'.

Mae Saeson yn aml iawn yn chwerthin ar y Gymraeg gan i ni ynganu'r llythyren 'f' fel y 'v' Saesneg, gan ddefnyddio 'ff' i ddynodi'r sain 'f' Saesneg. Ond mae'r Saeson eu hunain yn cymysgu rhwng y ddwy lythyren a'r ddwy sain yma. Cymerwch y gair syml 'off'. Rhaid ysgrifennu 'ff'. Os defnyddir un 'f' yn unig, mae'r sain yn newid i sain 'v' yn 'of'. Weithiau mae'r Sais yn ynganu 'gh' fel 'f', megis yn 'cough', ond os rhoir 'b' yn lle y 'c' mae'r gair 'bough' yn diweddu â'r sŵn 'w'!

Ydych chi wedi drysu eto? Ond er gwaethaf ei holl anghysondebau (ac ni hoffwn geisio ei dysgu yn iaith newydd) mae'r Saesneg yn iaith raenus a chanddi gorff o lenyddiaeth o'r radd flaenaf. Felly'r Gymraeg hefyd – ac o leiaf mae sillafu a threigliadau yn y Gymraeg at ei gilydd yn dilyn patrymau clir a chyson, tra bod y rhai Saesneg, hyd y gwelaf i, yn hollol fympwyol ac annealladwy.

Yr Eingl-Sacsoniaid

Ond dyna ddigon o'r chwilen yna, yn ôl at yr hanes! Ar ôl i'r Rhufeiniaid ymadael â Phrydain yn y bedwaredd ganrif, dechreuodd Eingl-Sacsoniaid symud i ddwyrain Prydain o dir mawr y Cyfandir – yn y lle cyntaf ar wahoddiad un o benteuluoedd y Brythoniaid, Gwrtheyrn (Vortigern). Roedd ef yn chwilio am gymorth i wrthsefyll ymosodiadau gan y Sgotiaid a drigai y pryd hwnnw yn Iwerddon. Fe briododd Gwrtheyrn â merch Hengist, un o aweinwyr y Sacsoniaid. Dywedir y bu'n rhaid i Gwrtheyrn addo tiroedd Caint iddo er mwyn cael bendith Hengist ar y briodas.

Yn ôl y straeon traddodiadol, rhoddodd Hengist wahoddiad i rai cannoedd o filwyr Gwrtheyrn ddod i wledd fawr. Wedi sicrhau fod y rhan fwyaf ohonynt yn feddw, dyma ddynion Hengist yn rhoi arwydd i'w filwyr, a oedd yn cuddio eu cyllyll dan eu dillad llaes, a dyma nhw'n codi fel un dyn a lladd rhyw dri chant o ddynion

Gwrtheyrn. Fe gofir am y gyflafan hon yng Nghymru yn chwedl Brad y Cyllyll Hirion. Mae'n ymddangos na wnaethon ni ddysgu'r wers, oherwydd fe ddigwyddodd yr un peth yn y Fenni ryw 600 mlynedd wedyn wrth i'r Norman, William de Braose, geisio cryfhau ei afael ar y rhan yna o'r Mers.

Roedd arglwyddi Cymru'r adeg honno'n groesawgar iawn, yn ôl tystiolaeth nifer fawr o gywyddau'r oes. Byddent yn cynnig bwyd a lloches i ymwelwyr, ac wrth ymweld â phobl eraill byddent yn gadael unrhyw arfau oedd ganddynt y tu allan, yn arwydd o gyfeillgarwch. Yn ôl yr hanes, roedd y Cymry felly wedi gadael eu harfau y tu allan i gastell y Fenni wrth fynd i wledda gyda William de Braose – ond roedd milwyr arfog de Braose yn eu disgwyl, a lladdwyd y Cymry bob un.

Yn ôl at Gwrtheyrn yn y bumed ganrif. Dywedir iddo gilio i gadernid Eryri lle y ceisiodd adeiladu castell mewn lle o'r enw Dinas Emrys. Ond dro ar ôl tro, cyn cwpla'r gwaith o godi'r castell, byddai'r muriau'n cwympo i lawr. Dywedir iddo alw ar lanc ifanc â galluoedd cyfrin i esbonio'r ffenomenon hon. Dywedodd yntau fod yna ogof enfawr dan y castell lle trigai dwy ddraig ffyrnig – un yn wyn a'r llall yn goch. A phan ymladdent byddai'r ddaear yn crynu a muriau'r castell anorffenedig yn dymchwel. Yn ôl yr hanes, dywedodd y llanc ifanc a enwid Myrddin (neu Merlin the Magician i'r Saeson) na fyddai llonyddwch nes i'r ddraig goch ennill y frwydr. Ystyr hynny, wrth gwrs, oedd y byddai'r Cymry yn fuddugoliaethus dros y Saeson yn y pen draw – a hynny a ddigwyddodd ym 1485, ond mwy am hynny eto.

Y 'Brenin' Arthur

O'r bumed ganrif ymlaen, ymsefydlodd mwy a mwy o Sacsoniaid yn y wlad a elwir heddiw yn Lloegr. Fe'u taflwyd nhw yn ôl ar lawer achlysur, yn arbennig felly gan Arthur chwedlonol a'i fintai. Ni wyddom lawer am Arthur, ond mae'n debyg mai arweinydd milwrol ydoedd yn y chweched ganrif, a'i fod yn ymgorffori rhinweddau'r Brythoniaid a'r Rhufeinwyr. Dywedir iddo ennill nifer sylweddol o frwydrau yn erbyn y Sacsoniaid, yr un fwyaf nodedig ym Mynydd Baddon ym 516 OC. Fe'i gorchfygwyd yn y pen draw ym mrwydr Camlan ym 537, ond ni wyddom ddim byd pendant am beth ddigwyddodd iddo wedyn.

Fe dyfodd y chwedl na fu farw – ei fod yn gorffwyso ac y byddai'n codi eto ryw ddydd pan fyddai gwir angen ei gymorth ar y Cymry. Mabwysiadwyd y stori hon gan wledydd eraill, yn arbennig Lloegr a Ffrainc, lle tyfodd y straeon rhamantus am sifalri a champau marchogion y Ford Gron. Gellir gweld cerflun hardd o'r Brenin Arthur – er nad oes dim tystiolaeth iddo erioed ennill y teitl hwnnw –

Y Brenin Arthur.
Llun: Margaret Jones.

yn yr Hofkirche (yr Eglwys Imperialaidd) yn Innsbruck yn Awstria. Yn wir, roedd yr hanesion am Arthur a straeon Celtaidd eraill yn brif ffynhonnell llenyddiaeth ramantaidd ar draws Ewrop yn yr Oesoedd Canol.

Daeth mwy a mwy o ddwyrain Prydain dan reolaeth y Sacsoniaid yn y canrifoedd dilynol. Ond ni cheir unrhyw dystiolaeth o ymfudiad mawr o Frythoniaid i'r gorllewin yn sgîl hynny. Yn hytrach, mae'n debyg i'r boblogaeth leol ymdoddi'n araf i mewn i'r gymdeithas newydd. Ceir tystiolaeth o'r hen iaith Frythoneg mewn sawl man yn Lloegr – e.e. Dwfr (Dover) ac Afon (Avon). Yn wir, mae sawl Afon Avon yn Lloegr – h.y. afon heb enw arbennig o gwbl! Mae hyn yn dwyn i gof y trosiad Saesneg mwyaf twp o enw lle Cymreig – sef Barmouth. Abermawddach, neu Abermo, wrth gwrs yw'r enw go iawn. Mae'r Saeson wedi camddeall hyn a meddwl mai ystyr Abermo yw 'Mouth of the Aber' – Abermouth neu Barmouth. Mae'r enw Saesneg felly yn golygu 'The Mouth of the Mouth', ac enw'r afon wedi mynd ar goll yn llwyr!

Yn y pen draw, fodd bynnag, roedd y gwladfeydd Sacsonaidd yn rhannu Cymry de-orllewin Lloegr rhag y gweddill ohonom ac wedyn fe dorrwyd y cysylltiad rhwng Cymry gogledd Lloegr a de'r Alban a'r Cymry oedd yn byw yn ardal y Gymru fodern. Dyma oedd diwedd y genedl Brydeinig fregus. Mae llawer yn dal i siarad am y genedl Brydeinig heddiw, wrth gwrs, ond does dim sail o gwbl i'r syniad hwnnw. Os mai un genedl sydd ym Mhrydain, pam ydym ni'n chwarae gemau rhyngwladol yn erbyn ein gilydd? Mae gennym wladwriaeth Brydeinig, wrth gwrs, sy'n cynnwys pedair cenedl, ond bu farw unig genedl Brydeinig yr ynysoedd hyn dros 1,500 mlynedd yn ôl.

Y Cymry

Datblygodd iaith y bobl oedd yn byw yn ne-orllewin Lloegr yn Gernyweg a iaith y bobl oedd yn byw yn ardaloedd de'r Alban, gogledd Lloegr a'r Gymru bresennol yn Gymraeg. Roedd yr Eingl-Sacsoniaid yn ein galw ni'n 'Welsh' – sef estronwyr – ond roeddem ni'n galw ein hunain yn Gymry – pobl o'r un fro, neu gymrodyr. Roedd y Rhufeiniaid, wrth gwrs, wedi gadael llawer o bethau ar eu hôl – canolfannau milwrol, trefi, trefn gymdeithasol a llawer o ffyrdd newydd – a'r cyfan yn golygu bod y llwythau Cymreig yn ymgyfathrachu mwy â'i gilydd ac yn datblygu mewn ffyrdd tebyg – a dyma wreiddyn cenedl newydd y Cymry.

Ar y dechrau, roedd gwŷr yr Hen Ogledd (sef gogledd Lloegr a de'r Alban) yn rhan o'r genedl honno. Mae'r enw Cumbria, er enghraifft yn fersiwn arall o'r enw Cymru. Datblygodd yr iaith Gymraeg yn y parthau hynny fel y gwnaeth yng Nghymru ei hun – yn wir ceir ychydig o olion yr hen iaith o hyd yn y modd y mae bugeiliaid yn cyfrif eu defaid yn Cumbria a rhannau o Northumberland a Swydd Efrog.

Roedd Padrig yn Gymro o'r ardal hon (Ystrad Clud neu Strathclyde heddiw). Fe'i cipiwyd gan y Sgotiaid oedd yn byw yn Iwerddon ac aethpwyd ag ef yn ôl i'r wlad honno'n gaethwas. Yn ddiweddarach dechreuodd bregethu Cristnogaeth ac yn y pen draw, wrth gwrs, efe a enwyd yn nawddsant Iwerddon. Mae'r farddoniaeth Gymraeg gynharaf y gwyddom amdani wedi'i hysgrifennu yn yr Hen Ogledd ac yn cofnodi rhyfeloedd y Cymry yn erbyn y Sacsoniaid – yn bennaf y frwydr yng Nghatraeth (Catterick yn Swydd Efrog heddiw).

Bu cryn gyfathrach rhwng Cymry yng ngorllewin Cymru a'r Hen Ogledd a'r Sgotiaid oedd yn byw yn Iwerddon y pryd hwnnw. Gwelsom yn barod i Badrig gael ei gipio i Iwerddon a phregethu Cristnogaeth yno ymhell cyn i Awstin lanio yng Nghaint i geisio ennill y Sacsoniaid i'r grefydd newydd. Mae chwedlau Cymraeg cynnar – a anfarwolwyd wedyn yn 'Pedeir Keinc y Mabinogi' – yn cynnwys straeon am dywysoges o Gymru yn priodi brenin Iwerddon ac am ei brawd, y brenin Bendigeidfran, yn mynd i'w rhyddhau hi o lys y Gwyddyl am iddynt ei cham-drin hi yno.

Megis cynifer o hen chwedlau, mae'r stori hon yn ymgais i esbonio enw lle. Yr enw Gwyddelig ar Ddulyn yw *Baile Átha Cliath* – Tref Rhyd y Clwydi. Yn ôl y chwedl, roedd milwyr Bendigeidfran yn methu â chroesi afon Llinon neu'r Liffey yn Nulyn nes iddo ef – ac yntau'n gawr o ddyn – orwedd dros yr afon gan adael iddynt groesi i'r ochr arall dros ei gorff. O'r chwedl hon hefyd y tardd yr hen ddihareb Gymreig 'A fo ben, bid bont'.

Cunedda

Gellir gweld olion hen greiriau Gwyddelig yn Sir Benfro a rhannau o Wynedd a Chernyw. Daeth Cymry – cymrodyr – o'r Hen Ogledd i lawr i Gymru i'n cynorthwyo i wrthsefyll ymosodiadau'r Gwyddelod. Yr enwocaf o'r rhain oedd Cunedda a'i dylwyth a ymgartrefodd yma. Mae enwau sawl un o'r teulu – Meirion, Ceredig ac Edern, er enghraifft – yn fyw o hyd yn enwau ardaloedd Cymru. Fodd bynnag, gadawyd yr Hen Ogledd yn wan ac yn ddiamddiffyn ac fe drodd y Gwyddelod eu sylw fwyfwy at yr ardal honno. Sgotiaid Iwerddon, wrth gwrs, a roes yr enw 'Scotland' i'r wlad, ac fe giliodd yr hen lwythau Pictaidd yn raddol i'r tir mynyddig yng ngogledd y wlad.

Mae'n ymddangos na ŵyr neb yn iawn sut y daeth Llydaw yn rhan o'r dreftadaeth Frythonig. Mae'n bosib i rai o Frythoniaid de-orllewin Lloegr symud yno i osgoi'r minteioedd Gwyddelig a oedd yn ymosod ar yr arfordir. Mae'n debyg i rai eraill, gan gynnwys rhai Gwyddyl hefyd efallai, fynd yno i bregethu'r Gristnogaeth newydd. Yn sgîl y symudiadau hyn datblygodd ffurf wahanol eto ar yr iaith Frythoneg, sef Llydaweg.

Roedd yr hen iaith Frythoneg, felly, wedi'i thrawsnewid yn dair iaith newydd: Cymraeg, Cernyweg a Llydaweg. Yn yr un modd roedd yr iaith Geltaidd arall a siaredid yn yr ynysoedd hyn adeg concwest y Rhufeiniaid – sef Goedeleg – wedi'i thrawsnewid yn dair iaith newydd: Gaeleg Iwerddon, Gaeleg yr Alban a Manaweg. Ganed chwe chenedl Geltaidd newydd o gwymp yr Ymerodraeth Rufeinig ac ymosodiadau'r Eingl-Sacsoniaid.

Yr 'Oesoedd Tywyll' ysblennydd

Mae haneswyr Lloegr, ac yn wir llawer o haneswyr gweddill Ewrop, yn galw'r cyfnod wedi cwymp yr Ymerodraeth Rufeinig yn 'oesoedd tywyll' – yn bennaf am nad oes llawer o dystiolaeth ysgrifenedig o'r cyfnod. Ond yn sicr nid yw'r disgrifiad hwnnw'n gywir am Gymru. Yn wir, gellid ystyried y cyfnod hwn yn Oes Aur i Gymru!

Cristnogaeth

Roedd y Cymry'n troi at Gristnogaeth hyd yn oed cyn i Cystenin, Cadfridog Rhufeinig oedd yn gwasanaethu ym Mhrydain, ddatgan yn Efrog yn 306 OC mai ef oedd yr Ymerawdwr newydd. Credai ei fod yn haws gadael i Gristnogion arfer eu crefydd newydd na'u herlid, a chaniatawyd hynny trwy orchymyn swyddogol yn 313 OC. Yn ôl rhai hanesion fe enwyd y ffordd sy'n arwain i'r de o Gaernarfon (yr unig ffordd fawr rhwng gogledd a de Cymru a gawsom erioed, er gwaethaf y rhif A470 a roir heddiw ar gasgliad o ffyrdd – amryw ohonynt yn eithaf bach!) yn Sarn Helen ar ôl ei fam. Mae eraill yn dadlau i'r ffordd gael ei henwi ar ôl Helen arall – merch leol o Wynedd a briododd Macsen Wledig, sef yr Ymerawdwr Magnus Maximus.

Sefydlwyd un o'r colegau cyntaf yn Ewrop i hyfforddi dynion ifainc i fynd allan i bregethu'r efengyl newydd, yn Llanilltud Fawr ym mro Morgannwg, yn gynnar yn y chweched ganrif. Cafodd y myfyrwyr addysg weddol eang yno ac mae rhai yn dal y gellir ystyried Llanilltud Fawr yn gnewyllyn prifysgol gyntaf Ewrop.

Oddi yma aeth offeiriaid ar draws Cymru, Iwerddon a Llydaw i ennill pobl at y ffydd newydd. Cawsant gryn lwyddiant. Yn eu tro, sefydlwyd grwpiau tebyg yn Iwerddon a danfonwyd offeiriaid i'r Alban. Roedd Andrew yn un o'r rhain a daeth yntau yn Nawdd Sant yr Alban, wrth gwrs. Mae'n ddiddorol nodi mai Cymru yn unig o blith cenhedloedd ynysoedd Prydain sydd â nawddsant brodorol (sef Dewi). Ganed San Siôr yn y Dwyrain Canol ac mae'n nawddsant i amryw o wledydd eraill yn ogystal â Lloegr.

Pan laniodd Awstin Sant yng Nghaint ym 597 OC, ymhell wedi sefydlu'r coleg yn Llanilltud Fawr, ei fwriad

oedd denu pawb yn yr ynysoedd hyn i arddel yr eglwys babyddol. Ond roedd y gwledydd Celtaidd yn amharod iawn i roi'r gorau i'w ffydd draddodiadol ac ni dderbyniwyd awdurdod Pab Rhufain ganddynt tan yr wythfed ganrif.

Dewi Sant, ffenestr y de, Eglwys Padarn Sant, Llanbadarn Fawr.

Llenyddiaeth yn ffynnu

Soniwyd eisoes am straeon y Mabinogi (a ddaeth yn boblogaidd iawn ym Mhrydain yn y bedwaredd ganrif ar bymtheg wedi i'r Fonesig Charlotte Guest eu cyfieithu i'r Saesneg). Roedd y straeon hyn yn flaengar iawn am eu hoes ac fe wnaethon nhw, ynghyd â straeon eraill y cyfnod, esgor ar y chwedlau am Arthur: y rhain – yn enwedig yn y ffurf fwyaf diweddar a roddwyd iddynt gan Sieffre o Fynwy (ysgolhaig o waed Cymreig a Normanaidd a aeth o gwmpas y wlad yn annog y Cymry i ymuno â'r croesgadau i Balestina yn y ddeuddegfed ganrif) – a ddaeth yn sail i lawer o lenyddiaeth ramantus gorllewin Ewrop yn yr Oesoedd Canol.

Mae'r farddoniaeth Gymraeg gyntaf y gwyddom amdani yn perthyn i rywle o gwmpas y chweched ganrif (rhyw 800 mlynedd cyn i Chaucer ysgrifennu'r farddoniaeth Saesneg gyntaf). Mae cryn dipyn o'r farddoniaeth Gymraeg hynafol hyn yn hawdd i Gymry cyfoes ei deall ac mae llawer ohoni'n ddisgrifiadol ac emosiynol iawn, er enghraifft, y penillion syml a adwaenwn heddiw fel 'Canu Heledd'. Cofnodwyd y penillion hyn am y tro cyntaf tua'r nawfed neu'r ddegfed ganrif ond maent yn tarddu o gyfnod cynharach na hynny. Sonnir am gyflwr truenus neuadd Cynddylan, tywysog a oedd yn frawd i Heledd, cartref a ddifethwyd gan y Sacsoniaid ar ddechrau'r seithfed ganrif. Dyma ddau bennill o'r gyfres:

Ystafell Gynddylan, ys tywyll heno
Heb dân, heb wely:
Wylaf wers, tawaf wedy.

Ystafell Gynddylan, ys tywyll heno
Heb dân, heb gannwyll:
Namyn Duw, pwy a'm dyry pwyll?

Yn ystod y cyfnod hwn y datblygwyd trefn cynghanedd – sydd yn gwbl unigryw i Gymru. Gellir ysgrifennu o fewn unrhyw un o 24 o wahanol fesurau. Y peth hanfodol i'r cyfan o'r rhain yw system acennu, cytseinedd o fewn y llinellau ac odlau mewnol – yn y medrau mwyaf caeth rhaid i'r cytseiniaid yn hanner cyntaf y llinell fod yn union yr un rhai ac yn union yr un drefn â'r cytseiniaid yn ail hanner y llinell. Mae ysgrifennu fel hyn yn gofyn am safon uchel o grefftwaith â geiriau. Nid yw bob amser yn esgor ar farddoniaeth aruchel, ond pan mae'r bardd yn gallu asio'r grefft ag ysbrydoliaeth farddonol mae'r canlyniadau yn arbennig o drawiadol.

'A walesi bárdok'

Rhoddwyd parch mawr i'r beirdd a ysgrifennai yn y mesurau hyn. Fe'u gwerthfawrogwyd yn arbennig gan dywysogion ac arglwyddi, a disgwylid i'r beirdd ganu eu clodydd wrth ymweld â'u plastai. Yn aml iawn, y bardd oedd yr unig berson, ar wahân i berchennog y plasty, a gâi sedd iddo'i hun yn y wledd, fel arfer nesaf at y tywysog neu'r arglwydd. Dyma sydd wrth wraidd y traddodiad o roi cadair yn wobr i'r bardd buddugol mewn eisteddfod – ond dim ond i'r rheini sy'n ysgrifennu yn un o'r 24 mesur caeth. Mae'n rhaid i feirdd na ddewisant (neu efallai na fedrant) ysgrifennu

yn y mesurau hynny, gystadlu am goron yn lle cadair –
a hyd heddiw mae ychydig llai o fri a chlod yn perthyn
i'r goron nag i'r gadair.

Yn ddiweddarach, dechreuodd llawer o'r beirdd
ysgrifennu am bynciau mwy at ddant pobl gyffredin,
fel bywyd tafarn a chanlyn merched, yn hytrach na
chlodfori'r arglwydd yn unig. Byddent yn aml yn
crwydro o fan i fan ar draws y wlad. Yr enwocaf o'r
rhain oedd Dafydd ap Gwilym a oedd yn ysgrifennu
yng nghanol y bedwaredd ganrif ar ddeg. Yn ddiamau,
roedd beirdd Cymru ar flaen y gad ym myd llenyddiaeth
yn 'oesoedd tywyll' Ewrop yr Oesoedd Canol.

Yn wir, ymysg barddoniaeth enwocaf Hwngari mae
'A walesi bárdok' – 'Beirdd Cymru'. Mae'r farddoniaeth
arwrol hon yn ymdrin â'r achlysur yn y drydedd ganrif
ar ddeg pan oedd Iorwerth I o Loegr yn ymgyrchu
yn erbyn y Cymry. Unwaith, pan fu yng nghastell
Trefaldwyn, anfonodd am feirdd i ganu ei glodydd – a
dyma un ar ôl y llall yn canu clodydd y brenin. Molwyd
y brenin am gerdded i mewn i wlad hardd a ffrwythlon
a'i throi yn ddiffeithwch, gwlad â llawer o ddynion
ifainc cryf oedd wedi eu lladd, a gwlad o ferched hardd
oedd erbyn hyn i gyd wedi eu treisio, a dywedwyd mai
i'r brenin yr oedd y clod am hyn oll. Dywedir i'r brenin
ddigio cymaint, ac ofni y gallai'r beirdd ysbrydoli
gwrthryfel yn ei erbyn, nes iddo orchymyn lladd pob
bardd Cymreig, a dywedir i ryw 500 ohonynt gael eu
lladd – yn debyg i'r modd y lladdwyd y derwyddon
gan y Rhufeiniaid. Wedi i Iorwerth gilio i Lundain, ni
allai gysgu'r nos wrth feddwl am eiriau'r beirdd yn
Nhrefaldwyn.

A phan gurodd Awstria wrthryfelwyr Hwngari ym 1848 mynnodd ymerawdwr Awstria i János Arany, prif fardd Hwngari, ganu ei glodydd yntau. A dyna pam yr ysgrifennodd Arany am gyflafan Trefaldwyn. Roedd yr ymerawdwr, mae'n ymddangos, yn rhy dwp i ddeall yr eironi! Roedd pobl Hwngari, fodd bynnag, yn deall arwyddocâd y gerdd, a hyd heddiw rhaid i bob plentyn ysgol yn Hwngari ei dysgu – ac mae pawb a gwrddais i yn Hwngari yn gallu adrodd darnau ohoni heb ailfeddwl. Ar ddechrau'r ganrif bresennol, gofynnwyd i'r cyfansoddwr Cymreig Karl Jenkins osod y geiriau i gerddoriaeth. Mae'n waith corawl trawiadol iawn. Fe'i perfformiwyd am y tro cyntaf yn Budapest yn 2011, a chafwyd yr ail berfformiad ym mhrifwyl Cymru ym Mro Morgannwg yn 2012.

Mae'r traddodiad barddol, wrth gwrs, yn dal i ffynnu yng Nghymru – yn rhan bwysig o brifwyl sy'n dathlu celfyddyd o bob math erbyn hyn, yn hytrach na rasys ceffylau neu gêm bêl-droed. Cynhaliwyd yr Eisteddfod gyntaf, lle'r oedd beirdd yn ymgiprys am wobr, yn Aberteifi ym 1176. Cynhaliwyd rhai eisteddfodau yn achlysurol wedyn a rhoddwyd bywyd newydd i'r Eisteddfod ar ddechrau'r bedwaredd ganrif ar bymtheg ac mae'n ffynnu hyd heddiw. Mae wedi newid ei hansawdd dros y blynyddoedd, wrth gwrs, ac mae llawer mwy o wahanol gelfyddydau'n cael sylw ganddi. Ond i'r beirdd y rhoddir y clod uchaf o hyd, ac mae cannoedd o bobl gyffredin yn tyrru i'r Babell Lên i wrando ar Dalwrn y Beirdd lle mae timoedd o feirdd yn cystadlu – yn aml iawn yn hen fesurau caeth y gynghanedd.

Y Cyfreithiau Cymreig

Esiampl glodwiw arall i weddill Ewrop oedd y cyfreithiau Cymreig. Er ei bod yn genedl erbyn y chweched ganrif, doedd dim peirianwaith gwladwriaeth gan Gymru y pryd hwnnw. Fel y nododd Gwynfor Evans yn ei lyfrau hanes ef, tra bod y Deyrnas Unedig yn wladwriaeth sy'n cynnwys pedair cenedl wahanol, fil o flynyddoedd yn ôl roedd Cymru'n genedl a oedd yn cynnwys nifer o ddarpar wladwriaethau bach.

Roedd gan bob arglwydd ei lys ei hun a'i gyfraith a'i weinyddwyr ei hun. Gwelsom sut roedd yr hen gyfreithiau Brythonig yn ddigon sefydlog i wrthsefyll dylanwad yr iaith Ladin. Yn 909 OC galwodd Hywel Dda, tywysog Deheubarth, ar gynrychiolwyr o bob rhan o Gymru i ddod i gynhadledd genedlaethol yn Hendygwyn ar Daf er mwyn cytuno ar un set o gyfreithiau i Gymru gyfan. Ac fe wnaed hynny – nid trwy orchymyn oddi uchod, ond trwy drafodaeth a chytundeb. Roedd hon yn garreg filltir lawer iawn pwysicach i ddatblygiad y gyfraith a syniadau democrataidd na'r Magna Carta a arwyddwyd gan y Brenin John yn Lloegr 300 mlynedd wedyn. Fe orfodwyd y siartr hwnnw ar frenin anfodlon gan ei farwniaid, ac yn y bôn roedd yn diogelu eu buddiannau hwy yn hytrach na rhai'r bobl gyffredin.

Roedd Cyfreithiau Hywel Dda y cytunwyd arnynt yn 909, yn llawer mwy blaengar nag unrhyw beth tebyg yn Ewrop ar y pryd ac yn cynnwys nifer o elfennau am gydraddoldeb. Roedd gan ferched, er enghraifft, lawer o hawliau o ran perthynas bersonol ac etifeddu (fe gymerodd y wladwriaeth Brydeinig

Rhan o gofeb Hywel Dda yn Hendy-gwyn ar Daf.

dros fil o flynyddoedd i'n dal ni o ran hynny!). Os torrwyd y gyfraith, roedd y pwyslais ar adfer neu unioni'r sefyllfa ac ar iawndal i'r sawl oedd wedi dioddef, yn hytrach nag ar gosb yn unig.

Bwriad y cyfreithiau Cymreig oedd sicrhau cymdeithas deg, heddychlon, yn hytrach na gorfodi ewyllys y teyrn neu'r wladwriaeth. Mae'r hanesydd cyfraith Dafydd Jenkins yn disgrifio'n trefn ni yn *Volksrecht* (hawliau'r bobl), yn hytrach na'r drefn fwy cyffredin, *Kaiserrecht* (hawliau'r brenin).

Yn ôl cyfreithiau Cymru, wrth i ddyn farw fe rennid ei eiddo'n gyfartal rhwng ei holl blant, gan gynnwys y merched, yn hytrach na'r drefn Seisnig lle byddai'r cyfan yn mynd i'r mab cyntaf-anedig. Pe bai dyn yn marw heb etifedd, fe rennid ei eiddo rhwng aelodau'r gymdeithas leol, yn hytrach na dod yn eiddo i'r teyrn yn ôl y drefn Normanaidd.

Roedd ein trefn ni yn sicrhau bod eiddo a chyfoeth yn cael eu gwasgaru trwy gymdeithas mewn ffordd fwy cyfartal o lawer nag oedd yn gyffredin mewn gwledydd eraill. Gellir ystyried hyn yn anfantais ar un olwg am i'r drefn filwrio yn erbyn casglu ynghyd y cyfalaf, neu rym economaidd, y byddid ei angen mewn canrifoedd wedyn er mwyn hyrwyddo datblygiadau diwydiannol. Fe sicrhaodd, fodd bynnag, fod Cymru'n datblygu'n gymdeithas lawer mwy cyfartal, cymdeithas lle roedd egwyddorion hawliau unigol a chyfiawnder cymdeithasol yn bwysig iawn.

Gwrthsefyll y Normaniaid

Ac wedyn, daeth y Normaniaid!

Mae pobl yn anghofio'n aml i'r Normaniaid oresgyn Lloegr yn gyflym iawn, ond iddynt gymryd dwy ganrif i oresgyn y Cymry. Roedd yna ddau brif reswm am hynny. Roedd brenhinoedd Wessex wedi llwyddo i sicrhau goruchafiaeth dros y rhan helaeth, os nad Lloegr gyfan. Unwaith i'r Normaniaid ladd y brenin Harold ym mrwydr Hastings ym 1066, fe gollodd y Saeson eu harweinydd a'u hawydd i ymladd. Mae'n ormodedd, efallai – ond nid gormod o ormodedd chwaith – i ddweud i'r Normaniaid orchfygu'r Saeson mewn un diwrnod.

Ond fe rannwyd Cymru o hyd yn sawl tywysogaeth neu arglwyddiaeth fechan. Pe gorchfygid un ohonynt, roedd digon o rai eraill i barhau'r frwydr yn erbyn y gelyn. Yn ail, wrth gwrs, roedd natur fynyddig llawer o'r wlad yn ei gwneud hi'n haws i'r Cymry wrthsefyll y goresgynwyr, gwm wrth gwm, gan ddatblygu dulliau cyrchfilwr modern.

Tywysogion Gwynedd

Ac wedyn, daeth tywysogion Gwynedd. Y ddelwedd boblogaidd o Lywelyn Fawr a'i ŵyr, Llywelyn Ein Llyw Olaf, yw eu bod nhw'n arwyr cenedlaethol yn ceisio amddiffyn Cymru yn erbyn y Normaniaid. Mae hynny'n wir, wrth gwrs, ac roeddwn yn falch o'r cyfle, ym 1964, i helpu sefydlu beth sydd erbyn hyn yn rali genedlaethol flynyddol yng Nghilmeri ger Llanfair-ym-Muallt i goffáu marwolaeth Ein Llyw Olaf. Mae'n bwysig i ni goffáu ein harwyr, beth bynnag yw ein barn am eu polisïau!

Yn fy marn i, er mae'n siŵr nad dyma oedd eu bwriad, mewn gwirionedd fe wnaeth tywysogion Gwynedd hwyluso gwaith y Normaniaid. Â'r rhan fwyaf o'r wlad wedi ei huno dan eu baner, dim ond angen eu curo nhw oedd yn rhaid i'r Normaniaid ei wneud i oresgyn Cymru gyfan – ac o edrych ar eu niferoedd a'u hoffer mwy soffistigedig, roedd eu buddugoliaeth bron yn anochel yn y diwedd. Fe gollodd tywysogion Gwynedd un o'r manteision pennaf oedd gan y Cymry.

Yn waeth na hynny, efallai, fe drodd tywysogion Gwynedd eu cefnau ar rai traddodiadau Cymreig, gan ddilyn esiampl y Normaniaid mewn ffyrdd eraill hefyd. Roeddent yn awyddus i fabwysiadu'r drefn Normanaidd lle mae'r cyntafanedig yn etifeddu popeth, yn hytrach na'r traddodiad Cymreig o rannu eiddo rhwng y plant i gyd. Sefydlwyd abatai i'r urddau newydd a ffafriwyd gan y Normaniaid. At ei gilydd, roedd y Sistersiaid yn gefnogol i'r Cymry tra bod y Benedictiaid, a ddaeth i Gymru gyda'r Normaniaid, yn ffafrio'r Normaniaid hwythau. Fe geisiodd tywysogion Gwynedd wrthsefyll y Normaniaid trwy ddefnyddio eu dulliau nhw yn lle chwarae i'w cryfderau eu hunain. Mae'n ddrwg gennyf, fechgyn: roeddech yn rhwym o fethu!

Wedi marwolaeth Llywelyn Ein Llyw Olaf fe geisiodd Iorwerth I o Loegr ennill ffafr y Cymry trwy ddefnyddio sgiliau diplomyddol. Addawodd dywysog a aned yng

Cofeb Llywelyn yng Nghilmeri.

Nghymru ac na fedrai air o Saesneg – ac wedyn cyflwynodd ei fab bychan i ni, oedd wedi ei eni yng nghastell Caernarfon ac na fedrai siarad o gwbl! Bu'r stranc dwyllodrus hon yn eithaf llwyddiannus – ac yn wir mae'n dal i lwyddo hyd heddiw!

Parhaodd rhai Cymry i geisio gwrthsefyll y Normaniaid wedi cwymp Llywelyn, e.e. arweiniodd Ifor Bach ymosodiad ar gastell Caerdydd, ac yn ddiweddarach ymosododd Llywelyn Bren ar gastell Caerffili. Yn sgîl hyn gwaredwyd y polisi diplomyddol gan y Normaniaid wrth iddynt wrthsefyll unrhyw wrthwynebiad mewn ffyrdd creulon iawn. Er enghraifft, hyd y gwyddom, Llywelyn Bren oedd y dyn cyntaf ym Mhrydain i ddioddef y gosb erchyll o gael ei grogi, ei lusgo a'i ddadberfeddu – ymhlith y cosbau creulonaf sy'n bodoli.

Owain Glyndŵr

Ni fu unrhyw arwydd o gyrch effeithiol yn erbyn y Normaniaid nes i Owain Glyndŵr gymryd yr awenau ar ddechrau'r bymthegfed ganrif. Fe ddefnyddiodd ef ddulliau traddodiadol y cyrchfilwr – yn wir, roedd Fidel Castro o Ciwba'n edmygwr mawr ohono ac yn meddwl amdano fel y cyrchfilwr effeithiol cyntaf ers cyn Crist, ac fe efelychodd lawer o'i ddulliau cyrchu i ennill rhyddid i'w wlad ei hun. Roedd Glyndŵr hefyd yn cefnogi'r hen dai crefyddol traddodiadol Cymreig gan ddymchwel nifer o dai'r urddau hynny a gefnogai'r Normaniaid. Er enghraifft, pan losgodd Caerdydd gadawodd lonydd i abaty'r Brodyr Llwydion am iddynt roi cynhebrwng teilwng i gorff Llywelyn Bren.

Roedd Glyndŵr hefyd yn gyfreithiwr a gwladweinydd: sefydlodd nifer o gynghreiriau rhyngwladol, trefnodd senedd ym Machynlleth ym 1404 ac awgrymodd y dylid sefydlu dwy brifysgol yng Nghymru. Gwnaeth gytundeb â nifer o arglwyddi Lloegr i ddisodli'r brenin a rhannu Cymru a Lloegr rhyngddynt. Casglwyd byddin a orymdeithiodd cyn belled â Chaerwrangon, ond beth bynnag oedd y rheswm, ni chafwyd brwydr rhwng y ddwy ochr. Roedd llinellau cyflenwi Glyndŵr yn hir ac yn wan, ac yn y pen draw galwodd ei fyddin yn ôl i Gymru.

Llwyddodd Glyndŵr i ryddhau'r rhan fwyaf o Gymru o faich y Saeson am nifer o flynyddoedd ond ni allai fanteisio ar ei enillion i greu sylfaen ddigon cryf ar gyfer Cymru rydd. Yn araf dyma'r Saeson yn ailgipio'r tiroedd, a hyd yn oed y cestyll roedd Glyndŵr wedi eu hennill. Yn y diwedd diflannodd Glyndŵr, ni wŷr neb yn sicr i ble, a daeth yn ffigwr chwedlonol yn nhraddodiad Arthur. Credid yn gyffredinol y byddai ef – fel Arthur – yn dychwelyd ryw ddydd i arwain y genedl i fuddugoliaeth.

Owain Glyndŵr.

Y tebygolrwydd yw iddo fynd i fyw gydag un o'i ferched oedd wedi priodi aelod o deulu Scudamore o Kentchurch, sydd heddiw yn Swydd Henffordd, rhyw filltir dros y ffin o'r Grysmwnt (Grosmont) yn Sir Fynwy. Gelwir y darn hwnnw o Swydd Henffordd yn Archenfield (Ergin yn Gymraeg) a cheir llawer o enwau Cymraeg yno e.e. Bagwyll-y-Llidiart – yn Lloegr, cofiwch! Siaredid cymaint o Gymraeg yn yr ardal nes iddi fod yn rheol hyd at ganol yr ugeinfed ganrif bod yn rhaid i Glerc Tre Henffordd fedru'r iaith. Normaniaid oedd y teulu Scudamore a ddaeth i Gymru hyd yn oed cyn Gwilym Goncwerwr ym 1066. Daethant o Normandi yn benseiri ac adeiladwyr i godi'r Abaty Aur (Abbey Dore). Yn anhygoel bron, mae aelodau'r un teulu'n dal i fyw yn y tŷ yn Kentchurch – teulu adnabyddus iawn ym myd pêl-droed a cheffylau rasio yn Lloegr – ac maen nhw'n gallu dangos yr ystafell lle y dywedir i Glyndŵr dreulio ei flynyddoedd olaf.

Wedi gwrthryfel Glyndŵr newidiwyd polisi'r Normaniaid eto ac yn lle cosbi unigolion, troesant at gosbi'r genedl gyfan. Ni chaniateid i Gymry fyw o fewn y trefi, na hyd yn oed ymweld â threfi wedi iddi dywyllu, ac ni chaniateid iddynt gario arfau na phriodi Normaniaid.

Y Tuduriaid

Mae'n ffasiynol erbyn hyn ymhlith rhai Saeson i ddilorni'r Tuduriaid a'u portreadu'n ddihirod neu fwystfilod – efallai am i Harri VIII ddienyddio dwy o'i wragedd, ac yn sgîl y nifer fawr o bobl a gafodd eu dienyddio (adeg Mari ac Elisabeth yn bennaf) am wrthod arddel y grefydd swyddogol. Mae eu beirniadu fel hyn, fodd bynnag, yn enghraifft o ddefnyddio safonau modern yn hytrach na safonau'r unfed ganrif ar bymtheg.

Mae'n wir nad oeddynt yn seintiau o bell ffordd, ond wnaeth y Tuduriaid erioed arddel safonau isel iawn y teulu Plantagenet a'u rhagflaenodd. At ei gilydd, roedd y Tuduriaid yn poeni mwy am ddiogelwch y wladwriaeth a'r olyniaeth frenhinol (o leiaf hyd at Elisabeth), nag ymgyfoethogi a budd personol. Yn wir, gellid dadlau mai'r Tuduriaid yw'r unig deulu brenhinol effeithiol a fu ar orsedd Lloegr erioed. Yn sicr, hwy ddaeth â heddwch yn eu sgîl ac a osododd seiliau gwladwriaeth weddol sefydlog ac effeithiol wedi helbulon Rhyfeloedd y Rhosynnau. Pa deulu brenhinol o Loegr all hawlio llwyddiant tebyg?

Harri Tudur

Yn ôl i'r hanes! Roedd Rhyfeloedd y Rhosynnau – rhosyn gwyn Swydd Efrog a rhosyn coch Swydd Caerhirfryn – wedi tanseilio bywyd ac economi

Lloegr ym mlynyddoedd canol y bymthegfed ganrif. Roedd Harri V – a aned ym Mynwy wrth gwrs – yn perthyn i deulu'r rhosyn coch, a phan fu farw, dyma'i weddw yn priodi ei gefnogwr ffyddlon, Owain Tudur o Benmynydd, Sir Fôn. Roedd teulu'r Tuduriaid yn cefnogi'r rhosyn coch hefyd ac yn y pen draw daeth eu hŵyr, Harri Tudur, yn ymgeisydd am y goron ar ran y garfan honno. Cyfarfu â brenin Rhisiart III o dylwyth y rhosyn gwyn mewn brwydr yn Bosworth ym 1485. Lladdwyd Rhisiart: cododd Harri'r goron oedd wedi cwympo oddi ar ben Rhisiart a choroni ei hun yn Harri VII, brenin Lloegr. Gallai olrhain rhan o'i achau yn ôl at frenin Iorwerth III ac yn ddiweddarach fe briododd Elisabeth o Efrog, merch Iorwerth IV, er mwyn ceisio dod â'r ddwy ochr ynghyd. Ond mynnodd Harri nad oedd yn hawlio'r goron oherwydd ei achau, ond oherwydd ei fuddugoliaeth ar faes y gad – y brenin olaf i wneud hynny yn Lloegr.

Yn wreiddiol, mae'n sicr i Harri ystyried ei fod yn cario baner y rhosyn coch yn hytrach na baner Cymru. Ond fe'i ganwyd yng nghastell Penfro, ac yno y treuliodd y rhan fwyaf o'i fagwraeth gyda'i ewythr, Jasper Tudur, Iarll Penfro. Pan oedd y rhosyn gwyn yn llewyrchu aeth yn beryglus i Harri aros ym Mhenfro ac fe giliodd ef a'i ewythr i Lydaw am rai blynyddoedd. Ym mhen amser, daethant yn ôl i Benfro a mintai o filwyr Ffrengig gyda nhw ac oddi yno teithiasant i Aberystwyth ac wedyn trwy Sir Drefaldwyn ac i gyfeiriad Caerlŷr i gwrdd â Rhisiart yn Bosworth. Dewiswyd y daith hon yn arbennig er mwyn denu cefnogaeth y Cymry i'w achos, a phan gyfarfu Harri a Rhisiart ar gae Bosworth roedd rhan helaeth o'i fyddin yn Gymry.

Castell Penfro.

Roedd Harri'n siarad Cymraeg ac fe ddefnyddiodd ei etifeddiaeth Gymreig i ddenu cefnogaeth. Canodd beirdd y cyfnod am Harri fel y 'Mab Darogan' – ymgnawdoliad o Arthur ac Owain Glyndŵr, a oedd wedi dod yn unswydd i sicrhau buddugoliaeth dros y Saeson o'r diwedd. A phan fu'n llwyddiannus yn Bosworth, roedd y beirdd yn credu i'r hen elyn gael ei orchfygu.

Gorchfygu'r Normaniaid

Ac fe'u gorchfygwyd wrth gwrs – neu'n fwy cywir gorchfygwyd y teulu Ffrengig Plantagenet a olynodd y Normaniaid. Rhisiart oedd y brenin olaf o waed Ffrengig a wisgodd goron Lloegr. Yn wir, yn eironig iawn, dyw'r Saeson erioed wedi cael Sais yn frenin arnynt. Roedd ganddynt frenhinoedd Eingl-Sacsonaidd, wrth gwrs, cyn y goncwest Normanaidd – ond doedd y rheini ddim yn Saeson fwy nag oedd yr hen Frythoniaid yn Gymry. Fel y gwelsom, daeth Cymru i fodoli trwy ddylanwad concwest y Rhufeiniaid ar yr hen Frythoniaid, ac yn yr un modd daeth Lloegr i fodoli trwy ddylanwad y goncwest Normanaidd ar yr hen Eingl-Sacsoniaid. Wedi'r Ffrancod Normanaidd daeth y Ffrancod Plantagenet i'r orsedd yn Lloegr, wedyn y Tuduriaid Cymreig, y Stiwardiaid Albanaidd, y teulu Oren o'r Iseldiroedd, yr Hanoferiaid Almaenig ac yn olaf y teulu Saxe-Coburg-Gotha Almaenig a newidiodd eu henw i Windsor yn ystod y Rhyfel Byd Cyntaf.

Ond er gwaethaf rhyddhau'r wlad o reolaeth y teuluoedd Ffrengig, doedd curo Rhisiart ddim yn golygu na fyddai Cymru'n rhydd o'r dylanwad Seisnig. Roedd Harri VII yn cofio ei dreftadaeth Gymreig ac fe enwodd ei fab cyntaf Arthur ar ôl yr arweinydd chwedlonol cynnar. Fe roes ddraig goch Cymru ar y faner frenhinol, penododd ferch a oedd yn siarad Cymraeg yn ofalydd am ei blant – fel y gwnaeth ei fab Harri VIII, a dyna'r rheswm y medrai Elisabeth I rywfaint o Gymraeg.

Prif amcan Harri, fodd bynnag, oedd dod â'r rhyfeloedd cartref i ben. Fel y nodwyd eisoes, un o'r pethau cyntaf a wnaeth oedd priodi Elisabeth o deulu Efrog. Dyfeisiwyd arwydd newydd – y rhosyn Tuduraidd oedd yn cynnwys y rhosyn coch a'r rhosyn gwyn. Daeth cadw'r heddwch rhwng gwahanol deuluoedd Lloegr yn fater pwysicach iddo na gwobrwyo'r Cymry am eu cefnogaeth. Cyn hir, roedd beirdd Cymru'n gresynu at ei flaenoriaethau, gan ysgrifennu:

> Gwell gan Siasper a Harri
> Yw gwŷr y Nord na'n gwŷr ni.

Aeth mwy a mwy o Gymry i Lundain i gael hyd i swydd yn y llys, y gyfraith neu'r eglwys ac aeth nifer gynyddol i brifysgolion Rhydychen a Chaergrawnt. Arweiniodd hyn oll at lawer mwy o integreiddio nag erioed o'r blaen rhwng bonedd ac ysgolheigion Cymru a'u cymheiriaid yn Lloegr.

Harri VIII

Priodwyd Arthur, mab hynaf Harri VII, i Catherine o Aragon a disgwylid iddo ef ddilyn ei dad yn frenin. Ond bu farw'n ifanc a phan ddaeth ei frawd, Harri arall, yn ddarpar frenin, priodwyd yntau â Catherine hefyd er mwyn cadw ewyllys da y Sbaenwyr. Cawsant ferch – a ddaeth wedyn yn Frenhines Mari – ond ni chafwyd bachgen, ac roedd hyn yn bwysig iawn yng ngolwg Harri er mwyn sicrhau dyfodol y llinach.

Yn y pen draw, dadleuodd Harri na ddylid fod wedi caniatáu iddo briodi gweddw ei frawd ac felly y dylid diddymu'r briodas gan ei ryddhau i briodi Anne Boleyn, yn y gobaith y byddai hithau'n esgor ar fab iddo. Apeliodd at y Pab i ddiddymu'r briodas â Catherine, ond dan ddylanwad Sbaen fe wrthodwyd hynny. Yn y pen draw fe dorrodd Harri'r cysylltiad rhwng yr Eglwys Babyddol a'r eglwys yn Lloegr gan ddatgan mai ef oedd pennaeth eglwys annibynnol y wlad.

Deddf Uno 1536

Achosodd hyn ddrwgdeimlad nid yn unig rhwng Harri a'r Pab ond rhyngddo ef a phrif bwerau pabyddol Ewrop hefyd, megis Sbaen a Ffrainc. Roedd Harri, felly, yn awyddus iawn i gryfhau amddiffynfeydd ei diriogaeth yn erbyn ymosodiad o dramor, yn enwedig wrth gofio i'w dad ennill y goron rhyw 40 neu 50 mlynedd ynghynt pan ddaeth â milwyr o Ffrainc a glanio yn Sir Benfro. Dyma'n bennaf a arweiniodd at Ddeddf Uno Cymru a Lloegr ym 1536. Ni chafwyd unrhyw ymgynghori â'r Cymry ynglŷn â'r mesur hwn, ond fe'i croesawyd gan nifer helaeth ohonynt gan y byddai'n diddymu'r holl anfanteision cymdeithasol a orfodwyd ar y Cymry wedi gwrthryfel Glyndŵr. Roeddent bellach yn gydradd â'r Saeson wrth chwilio am swyddi yn y llys neu yn y gyfundrefn gyfreithiol.

Y ddeddf hon, gyda llaw, a sefydlodd dair sir ar ddeg Cymru am y tro cyntaf. Fe'u rhestrir yn y ddeddf, ac mae Sir Fynwy yn eu plith. Ni chyflwynwyd yr un ddeddf erioed i newid y sefyllfa gyfansoddiadol hon, felly mae unrhyw awgrym bod Sir Fynwy yn perthyn ar un adeg i Loegr, yn hytrach nag i Gymru, yn gwbl ddi-sail. Mae'n debyg i amryfusedd godi yn y lle cyntaf oherwydd cynnwys Sir Fynwy yng nghylchdaith gyfreithiol Rhydychen at ddibenion llysoedd barn. Ond mater o hwylustod gweinyddol oedd hynny nad oedd yn ymyrryd â'r statws gyfansoddiadol. Yn yr un modd, fe gynhwyswyd Swydd Gaer yng nghylchdaith gyfreithiol gogledd Cymru, ond chlywais i neb yn dadlau bod Swydd Gaer yn rhan o Gymru oherwydd hynny!

Dylanwad Cymreig yn y llys brenhinol

Fe gynyddodd dylanwad y Cymry yn y llys brenhinol a'r llysoedd barn yn sgîl y datblygiadau hyn, gan gyrraedd uchafbwynt yn ystod teyrnasiad Elisabeth I. Dewisodd William Cecil yn Ysgrifennydd Cartref cyntaf iddi ac yn un o'i phrif gynghorwyr. (Fersiwn Saesneg o'r enw Cymraeg Seisyll yw Cecil ac roedd William bob amser yn falch o'i dreftadaeth Gymreig.) Roedd ef ym merw yr holl weithgaredd diplomyddol oedd yn angenrheidiol i gadw'r heddwch rhwng Elisabeth a brenhinoedd eraill Ewrop.

Un o gymeriadau mwyaf lliwgar yr oes oedd y mathemategydd a'r alcemydd o Gymro Dr John Dee. Fe atgoffodd Elisabeth am y chwedl mai'r Tywysog Madog o Gymru oedd y gŵr cyntaf i ddarganfod America a hynny yn y flwyddyn 1170, ddau gan mlynedd cyn i Columbus hwylio yno. Doedd dim angen perswadio Elisabeth i gredu'r chwedl hon, gan iddi weld y rhoddai esgus i goron Lloegr hawlio awdurdod dros diroedd y byd newydd. Yn wir, mae'n debyg mai John Dee oedd y cyntaf i fathu'r ymadrodd 'Ymerodraeth Brydeinig' – ond, wrth gwrs, doedd e ddim yn cyfeirio at yr Ymerodraeth a sefydlwyd gan y Saeson rai canrifoedd wedyn, ond at ymerodraeth yng ngogledd Iwerydd a sefydlwyd yn wreiddiol, meddai, gan y 'Brenin' Arthur ei hun!

Er gwaethaf rhai o'i syniadau rhyfedd, roedd John Dee yn ysgolhaig galluog a oedd yn ennyn parch mawr yn ei ddydd. Roedd ymhlith y grŵp cyntaf o bobl i gael eu hurddo yn gymrodyr Coleg y Drindod yng Nghaergrawnt ym 1546. Fe'i gwahoddwyd i ddarlithio ym mhrifysgolion Paris, Rheims a Rhydychen a chynigiwyd cadair barhaol iddo yn y ddwy olaf, ond ni dderbyniodd yr un o'r ddwy. Roedd yn ysgrifennu'n helaeth ar bynciau gwyddonol ac fe gyhoeddodd waith arloesol Robert Recorde ar Fathemateg.

Teulu Cymreig nodedig arall – y tro hwn ym mywyd dinas Llundain yn gynnar yn yr ail ganrif ar bymtheg – oedd y teulu Myddelton o Sir Ddinbych. Fe gafodd Syr Thomas Myddelton ei urddo'n faer Llundain a'i berthynas, Syr Hugh Myddelton, oedd yn gyfrifol am ddatrys problemau dyrys y brifddinas ynglŷn â'i chyflenwad dŵr, a brofodd yn gwbl annigonol diolch i dwf cyflym y boblogaeth. Adeiladodd gamlas fawr newydd – y rhan fwyaf o dan y ddaear – a elwid y Toriad Newydd (The New Cut) sy'n dal i gario dŵr i drigolion Llundain hyd heddiw.

Beibl William Morgan

Dylanwad mwyaf Elisabeth I ar fywyd Cymru oedd y gorchymyn i gyfieithu'r Beibl i'r Gymraeg a sicrhau bod copi ohono'n cael ei roi ymhob eglwys yng Nghymru – er bod hynny, mae'n debyg, yn sgîl ei hawydd i sicrhau bod pawb yn arddel y grefydd Brotestannaidd newydd yn hytrach nag awydd i hybu'r Gymraeg ei hun. Cyhoeddwyd cyfieithiadau William Salesbury o'r Testament Newydd a'r *Llyfr Gweddi Gyffredin* ym 1567 a chyhoeddwyd cyfieithiad newydd o'r Beibl cyfan ym 1588. Yr Esgob William Morgan oedd yn bennaf cyfrifol am y cyfieithiad hwn a gyhoeddwyd rhyw 17 mlynedd cyn i Feibl y Brenin Iago gael ei gyhoeddi yn gyfieithiad Saesneg safonol. Roedd cyfieithiad William

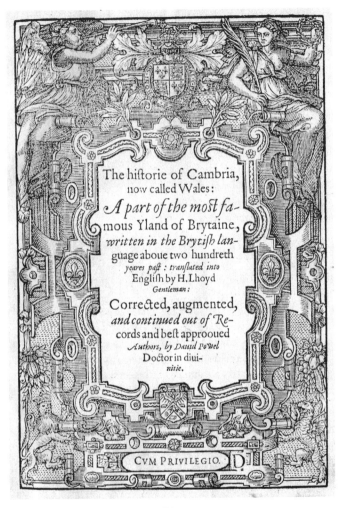

The historie of Cambria,
now called Wales:

A part of the most fa-
mous Yland of Brytaine,

written in the Brytish lan-
guage aboue two hundreth
yeares past : translated into
English by H.Lhoyd
Gentleman :

Corrected, augmented,
and continued out of Re-
cords and best approoued
Authors, by Dauid Powel
Doctor in diui-
nitie.

CVM PRIVILEGIO.

Tudalen deitl Beibl Cymraeg William Morgan.

Morgan yn waith penigamp. Cyfieithodd yn aml o Hebraeg wreiddiol yr Hen Destament yn lle dibynnu ar fersiynau Groeg neu Ladin fel y gwnâi llawer o gyfieithwyr eraill ar y pryd. Yn ôl rhai, fe ddysgodd Aramaeg hefyd – iaith Iesu ei hun – i helpu gwella cyfieithiad William Salesbury o'r Testament Newydd. Mae ei arddull lenyddol yn aruchel iawn. Gosododd y safon ar gyfer Cymraeg ysgrifenedig, a thrwy hynny gyfrannu'n helaeth at barhad y Gymraeg yn iaith lenyddol fywiog.

Gwnaed cyfraniad pwysig at hynny hefyd gan Gruffydd Robert. Roedd e'n Babydd pybyr a wrthododd gydnabod goruchafiaeth y gyfundrefn Brotestannaidd ym Mhrydain. Ymfudodd i'r Eidal lle daeth yn ysgrifennydd i Esgob Milan a oedd yn aelod o'r teulu Borromeo dylanwadol. Fe hefyd a ysgrifennodd y geiriadur Cymraeg cyntaf pan oedd ym Milan. Fe'i cyhoeddwyd mewn adrannau ddiwedd yr unfed ganrif ar bymtheg. Gyda llaw, mae 'na gwmni gwneud sebon o'r enw 'Roberts' sy'n dal yn adnabyddus yn yr Eidal – er mor estron yw'r enw hwnnw yno. Tybed a oes yna ryw gysylltiad?

Er i'r datblygiadau hyn ddiogelu sefyllfa'r iaith Gymraeg am sawl canrif, cafodd yr ymwybyddiaeth genedlaethol Gymreig ei gwanhau'n enfawr gan ymgorfforiad Cymru yn y wladwriaeth Seisnig.

Yn ystod y cyfnod hwn, dechreuodd rhai o feirdd Cymru ysgrifennu yn Saesneg yn hytrach na'r Gymraeg er mwyn ehangu eu cynulleidfa. Pennaf ymhlith y rhain oedd George Herbert a Henry Vaughan – y ddau yn gyfeillion i'r bardd enwog John Donne. Cafodd George

Herbert yrfa lewyrchus ym mhrifysgol Caergrawnt lle'i penodwyd yn Areithydd Cyhoeddus y Brifysgol. Yn ddiweddarach cafodd ei ddewis yn Aelod Seneddol am gyfnod ond wedyn rhoes y gorau i'r cyfan er mwyn canolbwyntio ar farddoni – yn bennaf cerddi o naws grefyddol draddodiadol. Roedd Henry Vaughan yn fardd blaenllaw yn y byd metaffisegol. Doedd e ddim yn cefnogi crefydd swyddogol y wladwriaeth fel Herbert. Roedd e'n ystyried crefydd yn agos at natur a daeth yn lladmerydd blaenllaw dros ddeïstiaeth – sef cred mewn Duw yn seiliedig ar feddwl rhesymegol yn hytrach nag ar ffydd neu ddatguddiad.

Cymry dylanwadol

Tra roedd y rhan fwyaf o Gymry cyfoethog neu addysgiedig yn ystod oes y Tuduriaid yn chwilio am yrfa yn y llywodraeth neu'r gyfraith, roedd rhai eithriadau pwysig. Un o'r amlycaf o'r rhain oedd Robert Recorde o Ddinbych-y-pysgod. Fe ysgrifennodd y llyfrau cyntaf yn Saesneg ar rifyddeg, algebra a geometreg. Gwnaeth un cyfraniad sylweddol iawn i dwf Mathemateg – all ymddangos yn beth bach pitw i ni efallai gan ei fod mor gyffredin – sef dyfeisio'r arwydd = i ddynodi cyfartaledd. Heb hynny, byddai mathemategwyr heddiw ar goll!

Oliver Cromwell

Pan ddaeth y Stiwardiaid i'r orsedd ar ddechrau'r ail ganrif ar bymtheg, dilewyd y ddraig goch Gymreig o'r pais arfau brenhinol ac fe aeth yn fwy anodd i'r Cymry gael swyddi pwysig yn Llundain. Un o ddynion pwysicaf y ganrif honno, fodd bynnag, oedd Oliver Cromwell. Chwaraeodd ran flaenllaw yn sefydlu ac arwain y 'New Model Army', oedd yn allweddol i fuddugoliaeth ochr y Senedd yn y Rhyfel Cartref ac wrth sefydlu llywodraeth newydd weriniaethol. Er na pharhaodd y llywodraeth honno wedi ei farwolaeth, roedd yn allweddol yn y broses o ffroeni grym y Goron a'i gwneud yn fwyfwy atebol i gydsyniad yr aelodau seneddol.

Gan mai yn nwyrain Lloegr yr oedd cartref Cromwell, fe anghofir yn aml ei fod o dras Gymreig, yn aelod o'r teulu Williams o Lanisien, pentre bach i'r gogledd o Gaerdydd, sydd yn awr yn rhan o'r brifddinas, wrth gwrs. Roedd chwaer ei hen daid wedi priodi Thomas Cromwell – y dyn mwyaf pwerus ym Mhrydain, ar ôl y brenin, am ran helaeth o deyrnasiad Harri VIII. Er mwyn ceisio ffafr gan ei frawd yng nghyfraith, newidiodd hen daid Oliver ei gyfenw i Cromwell hefyd. Roedd Oliver yn ymwybodol iawn o'i etifeddiaeth Gymreig, ac yn wir yn ei ieuenctid arferai arwyddo ei enw yn 'Oliver Cromwell, alias Williams'.

Ers ail hanner yr unfed ganrif ar bymtheg, roedd mwy a mwy o Gymry wedi alaru ar yr eglwys Seisnig uchel-ael a'r ffaith mai Saeson oedd yn cael y prif swyddi, hyd yn oed yng Nghymru, a throesant yn fwyfwy at y sectau anghydffurfiol a'r Crynwyr. Yn wir, pan aeth William Penn â mintai o Grynwyr i chwilio am fywyd gwell yn America, tua diwedd yr ail ganrif ar bymtheg, roedd cynifer o Gymry yn eu plith nes iddo fwriadu galw'r diriogaeth newydd yn 'New Wales'. Ond doedd hynny ddim yn dderbyniol gan y brenin Siarl II a rhoddwyd yr enw Pennsylvania ar y wladfa newydd yn lle hynny.

Yr Anghydffurfwyr

Roedd dylanwad Cymry ar America yn ddwfn iawn yn y blynyddoedd cynnar hynny. Er enghraifft, mae seiliau Cymreig i ddau o sefydliadau addysgol mwyaf enwog y wlad, Prifysgol Yale a Choleg Bryn Mawr. Sefydlwyd Prifysgol Yale trwy haelioni Elihu Yale, Cymro

cyfoethog yr oedd ei deulu'n hanu o ogledd-ddwyrain
Cymru. Enw cartref y teulu yno oedd Plas-yn-Iâl (sef
fersiwn wreiddiol Gymraeg o'r enw Yale). Bryn-mawr
oedd enw'r fferm yn agos i Ddolgellau a ddefnyddid yn
fan cyfarfod gan Grynwyr yr ardal. Ymfudodd llawer
ohonynt i America, a dyna sut y cafodd Coleg Bryn
Mawr ei enw.

Yn ôl yng Nghymru, yn ogystal â'r Crynwyr roedd
sectau anghydffurfiol eraill ar gynnydd, gan gynnwys
y Bedyddwyr a'r Annibynwyr, ac yn ddiweddarach
daeth y Methodistiaid, oedd yn wreiddiol yn aelodau
anesmwyth o eglwys Loegr, yn sect anghydffurfiol hefyd.
Roedd eu pwyslais hwy yn fwy ar berthynas bersonol
yr unigolyn â Duw – ar ddarllen y Beibl a gweddïo – yn
hytrach na defodau'r eglwys Anglicanaidd lle roedd yr
offeiriad yn gyfryngwr rhwng yr unigolyn a Duw.

Golygai pwyslais newydd yr Anghydffurfwyr fod
angen i'r werin bobl fedru darllen, ac oherwydd hynny
sefydlwyd ysgolion Sul gan y gwahanol enwadau lle y
dysgwyd pobl i ddarllen ac ysgrifennu – yn Gymraeg,
wrth gwrs, gan mai dim ond ychydig o'r bonedd a phobl
addysgiedig a fedrai Saesneg ar y pryd.

Cenedl lythrennog

Y cyntaf i osod sylfaen newydd gadarn o addysgu trwy
gyfrwng y Gymraeg fodd bynnag oedd Griffith Jones,
rheithor yr Eglwys Anglicanaidd yn Llanddowror,
Sir Gaerfyrddin. Dywedir iddo gydymdeimlo â'r
Methodistiaid ond nad oedd am ddigio y bonheddwyr
y dibynnai arnynt am ei swydd ac am eu cefnogaeth
ariannol i'r ysgolion. Dechreuodd gyfundrefn o

Griffith Jones, Llanddowror.

ysgolion cylchynol yn nhridegau'r ail ganrif ar bymtheg – yn bennaf i addysgu plant ac oedolion i ddarllen y Beibl a llyfrau defosiynol eraill, ac yn wir fe ysgrifennodd rhyw 30 o lyfrau tebyg ei hun. Unwaith y byddai un grŵp wedi meistroli'r ddawn o ddarllen ac ysgrifennu, byddai'r athrawon yn symud ymlaen i ardal arall i sefydlu ysgolion newydd. Yn ôl yr amcangyfrifon gorau, erbyn ei farwolaeth ym 1761, roedd rhyw hanner poblogaeth Cymru wedi mynychu un o'i ysgolion ac oherwydd hynny roedd Cymru ymhlith cenhedloedd mwyaf llythrennog Ewrop ar y pryd, os nad y byd cyfan. Daeth Catherine Fawr, ymerodres Rwsia, i glywed am y llwyddiant hwn a mynnodd gael adroddiad ar sut y gellid dilyn yr esiampl hon yn ei gwlad hithau. Yn yr ugeinfed ganrif, pan wynebodd pobl Ciwba'r her o wireddu addewid Fidel Castro i'r Cenhedloedd Unedig y byddai'n gwneud Ciwba'n genedl lythrennog o fewn blwyddyn, fe droesant hwythau hefyd at esiampl ysgolion cylchynol Griffith Jones am ysbrydoliaeth. Addaswyd ei gyfundrefn ef at eu sefyllfa arbennig nhw yng nghanol yr ugeinfed ganrif, wrth gwrs, ond yn y pen draw fe drefnwyd y rhaglen addysgu dorfol fwyaf effeithiol a welodd y byd erioed yng Nghiwba, gan wireddu addewid Castro o fewn naw mis!

Meddylwyr Gwleidyddol

Tua diwedd y ddeunawfed ganrif dechreuodd Cymru gynhyrchu nifer o feddylwyr gwleidyddol dylanwadol iawn. Y pennaf ohonynt oedd Richard Price a ddaeth yn gynghorydd i William Pitt, Prif Weinidog Prydain. Fe'i ganwyd yng Nghwm Garw ym Morgannwg ym 1723 ac fe dyfodd yn un o feddylwyr blaenaf yr oes. Cafodd amryw o'i ysgrifau ddylanwad ar feddylwyr radicalaidd y cyfnod, yn enwedig felly, 'Observations on the Nature of Civil Liberty' (1776) ac 'Observations on the Importance of the American Revolution' (1784).

Roedd yn gefnogol iawn i'r gwladychwyr yn America oedd yn brwydro am ryddid oddi wrth Brydain. Cymaint oedd ei ddylanwad fel y daeth yn gyfaill i George Washington ac fe anrhydeddwyd ef a Washington – a neb arall ar y pryd – yn Ddoethur er Anrhydedd ym Mhrifysgol Yale ym 1781. Ysgrifennodd yn helaeth ynglŷn â'r strwythur cyfansoddiadol fyddai'n gweddu i America rydd er 1785. Roedd rhyw draean o'r dynion a arwyddodd Ddatganiad Annibyniaeth America y flwyddyn honno o dras Gymreig. Roedd Richard Price hefyd yn arbenigwr ar gyfundrefnau trethi ac yn gyfrifydd ystadegol (a osododd sail i'r diwydiant yswiriant) ac fe'i gwahoddwyd i fod yn gyfrifol am Drysorlys y wladwriaeth newydd yn America – ond gwrthododd y swydd.

Roedd Price hefyd yn un a groesawodd y Chwyldro Ffrengig – o leiaf yn y dyddiau cynnar. Ysgrifennodd *A Discourse on the Love of our Count*ry (1789) lle rhoddodd groeso brwd iawn i'r chwyldro hwnnw. Ysgogwyd Edmund Burke i'w ateb gyda'i *Reflections on the French Revolution* a oedd yn ddatganiad clasurol o'r safbwynt Torïaidd. Yn ei dro, fe ysbrydolodd y cyhoeddiad hwnnw ateb enwog Tom Payne, *The Rights of Man*. Cymaint oedd y parch at Price yn Ffrainc nes iddynt gyhoeddi diwrnod galar swyddogol ym Mharis pan fu farw.

Meddyliwr blaenllaw arall oedd David Williams o Gaerffili. Roedd yn gas ganddo reolau a defodau Eglwys Loegr a sefydlodd gapel deïstaidd yn Llundain. Roedd meddwl rhydd a chrefydd yn seiliedig ar resymeg yn bwysig iawn iddo. Ymhlith ei gynulleidfa fe welwyd yn aml ddynion blaenllaw megis Thomas Wedgwood, Josiah Bentley a Benjamin Franklin. Roedd ysgrifau Williams yn boblogaidd ar draws y Cyfandir gan ddenu canmoliaeth gwŷr amlwg megis Voltaire, Rousseau a Frederick II. Roedd ef hefyd wedi canmol y chwyldro yn America ac esboniodd pam y gwnaeth hynny yn ei *Letters on Political Liberty* (1782). Cyfieithwyd hwn i'r Ffrangeg a chafodd gryn ddylanwad ar y wlad honno yn yr adeg yn arwain at y Chwyldro Ffrengig. Yn wir, gofynnodd arweinwyr y chwyldro iddo gynorthwyo yn y gwaith o lunio cyfansoddiad newydd i'r wlad ac fe gafodd ei urddo yn Ddinesydd Ffrengig er Anrhydedd.

Gorsedd y Beirdd

Edward Williams – neu Iolo Morganwg yn ôl ei enw barddol – oedd yr un mwyaf lliwgar o'r meddylwyr hyn. Roedd yn fab i saer maen o Lancarfan, nepell o'r Bont Faen ym Mro Morgannwg. Ni chafodd unrhyw addysg ffurfiol: yn wir, dywedir iddo ddysgu darllen wrth wylio ei dad yn naddu geiriau ar gerrig beddau. Roedd ei ddiddordebau'n eang iawn – yn cynnwys amaethyddiaeth a garddwriaeth, barddoniaeth, diwinyddiaeth ac athroniaeth. Roedd hefyd o blaid y Chwyldro Ffrengig ac yn gobeithio y byddai rhywbeth o'r un anian yn digwydd yng Nghymru. Fe'i cofir yn bennaf erbyn hyn am ei gyfraniad hynod, ond tra phwysig, i fywyd diwylliannol Cymru.

Yn ystod y ddeunawfed ganrif daeth rhai o Gymry dylanwadol Llundain at ei gilydd i sefydlu nifer o

Gorsedd y Beirdd.

gymdeithasau Cymreig. Y cyntaf ohonynt oedd y Cymmrodorion (o'r gair Cymro wrth gwrs) ym 1745. Yn dilyn sefydlu honno cafwyd y Gwyneddigion a'r Cymreigyddion. Ymhlith gweithgareddau eraill, roeddent yn ymddiddori mewn barddoniaeth Gymraeg. Erbyn diwedd y ganrif, y Gwyneddigion oedd y gymdeithas fwyaf llewyrchus o'u plith a theimlai Iolo iddynt roi gormod o sylw i feirdd gogledd Cymru gan anwybyddu traddodiad y de. Wedi 'ymchwil' maith daeth Iolo 'o hyd i' nifer sylweddol o lawysgrifau a mynnu iddynt gynnwys gwaith hen feirdd de Cymru. Mewn gwirionedd, fe ei hunan oedd wedi ysgrifennu llawer o'r farddoniaeth hon, ond gan fod y gwaith o safon mor uchel fe dderbyniwyd gair Iolo ar y pryd ac ni ddatgelwyd ei gast nes i ysgolheigion ymchwilio ymhellach i'w honiadau dros ganrif yn ddiweddarach.

Fel llawer o rai eraill yn yr oes honno, roedd Iolo'n rhamantydd a datblygodd ddiddordeb yn yr hen Dderwyddon oedd wedi codi cymaint o arswyd ar y Rhufeiniaid. Fe drefnodd rai o ddeddfodau'r derwyddon – neu o leiaf ei ddehongliad ef ohonynt – yr un gyntaf ar Primrose Hill yn Llundain ym 1792. Dyma sydd wrth wraidd Gorsedd Beirdd Ynys Prydain, sydd erbyn hyn yn elfen bwysig iawn o'r Eisteddfod Genedlaethol, wrth gwrs. Fel y gwelsom o'r blaen, gwreiddyn yr Eisteddfod – sy'n cynnwys cystadlaethau ym mhob maes artistig erbyn hyn – oedd ymryson rhwng y beirdd i ennill y fraint o gael eistedd yn y gadair yn llys y brenin neu'r arglwydd. Y cofnod cyntaf am ymryson o'r math oedd yn Eisteddfod Aberteifi ym 1176.

Atgyfodwyd y cystadlaethau hyn yn y bedwaredd ganrif ar bymtheg ond yn wreiddiol roedd yr eisteddfodau a defodau'r derwyddon yn gwbl ar wahân. Fe'u hasiwyd ynghyd dan ddylanwad Iolo yn Eisteddfod Caerfyrddin ym 1819. Cynhaliwyd yr Eisteddfod gyntaf i arddel y disgrifiad 'Cenedlaethol' yn Llangollen ym 1858.

Damcaniaeth Esblygu

Er i bobl yn aml feddwl am Gymru'r adeg hon fel gwlad grefyddol iawn – yn enwedig dan ddylanwad Anghydffurfiaeth y bedwaredd ganrif ar bymtheg – gwnaethpwyd cyfraniad pwysig iawn i ddatblygiad y ddamcaniaeth esblygu gan Gymro – cyfraniad allweddol, yn wir, hwyrach yn bwysicach nag eiddo Charles Darwin. Ei enw oedd Alfred Russel Wallace ac fe'i ganwyd ym Mrynbuga ym 1823. Datblygodd y ddamcaniaeth fod natur yn dewis yr elfen gryfaf o fewn rhywogaeth er mwyn goroesi, a hynny cyn i Darwin ddechrau cyhoeddi sylwadau ar y pwnc.

Aeth Wallace ar daith i ddyffryn Amazon i gasglu enghreifftiau naturiol ym 1848 a threuliodd sawl blwyddyn yn casglu enghreifftiau ym Malaya rhwng 1854 a 1862. Gwyddai fod Darwin yn dechrau ymddiddori yn y pwnc a dechreuasant ohebu â'i gilydd. Mewn cyfarfod o'r Gymdeithas Linnean yn Llundain ym 1858 darllenodd Wallace lythyr hir i'r gynulleidfa, dan y teitl 'On the Tendency of Varieties to Depart Indefinitely from the Original Type'. Daeth cyfeillion Darwin i wybod am y llythyr hwn, a chan ofni y byddai Wallace yn cael gormod o glod am y ddamcaniaeth newydd, trefnwyd i lythyr byr oddi wrth Darwin gael ei ddarllen hefyd.

Ysgrifennodd Wallace nifer o bapurau a llyfrau ar y pwnc, a chyhoeddwyd yr un pwysicaf efallai, *Contributions to the Theory of Natural Selection*, ym 1870. Yn wir, fe enwir y llinell ddychmygol rhwng planhigion ac anifeiliaid Indonesia ac eiddo Awstralia yn 'Llinell Wallace' ac mae amryw o wyddonwyr erbyn hyn yn credu i Darwin seilio nifer o'i ddamcaniaethau yntau ar syniadau a amlinellwyd gyntaf gan Wallace. Roedd Darwin, efallai, yn ymddiddori mwy na Wallace mewn ennill clod am fod y cyntaf yn y maes ac roedd ganddo gyfeillion dylanwadol i hybu'i achos. Mae'n eironig, efallai, i'r Gymdeithas Linnean sefydlu Medal Darwin ym 1890 ac iddynt ddyfarnu mai Wallace oedd yn haeddu'r fedal gyntaf.

Datblygu'r proffesiwn nyrsio

Un arall nad yw'n cael clod haeddiannol ac sy'n gorfod byw yng nghysgod rhywun arall yw Betsi Cadwaladr. Ar wahân i'r ffaith i un o Fyrddau Iechyd Cymru gael ei enwi ar ei hôl, ni ŵyr llawer o bobl amdani a'i chyfraniad enfawr i ddatblygiad y proffesiwn nyrsio.

Merch gyffredin o'r dosbarth gweithiol oedd Betsi ac fe gafodd swydd yn forwyn i gapten llong. Fe deithiodd ar draws y byd i gyd, a dechreuodd ofalu am forwyr pan oeddynt yn sâl. Yn dilyn y profiad hwn fe ddewisodd hyfforddi'n nyrs, a llwyddodd i gael lle yn Ysbyty Guy's yn Llundain i wneud hynny. Pan oedd yn 65 mlwydd oed, penderfynodd fynd i Crimea er mwyn helpu gofalu am y milwyr a anafwyd yn y rhyfel yno a dyna lle y cyfarfu â Florence Nightingale. Roedd Florence o gefndir breintiedig, yn wahanol iawn i Betsi, a doedd y ddwy ddim yn dod ymlaen yn dda â'i gilydd. Roedd Florence yn glynu at y rheolau, tra bod yn well gan Betsi wneud beth bynnag oedd ei angen i helpu'r claf a doedd dim ofn arni ddefnyddio dulliau newydd. Roedd hi wedi laru cymaint ar agwedd fiwrocrataidd Florence, nes iddi ymadael â'r ysbyty milwrol yno a mynd i ofalu am y cleifion ym merw'r frwydr ei hun. Er tegwch i Florence, fe gydnabu'n ddiweddarach i Betsi fod yn gyfrifol am ddyfeisio nifer o welliannau sylweddol i'r gwaith o ofalu am y cleifion.

Yn debyg i Wallace, cario ymlaen â'r gwaith oedd yn bwysig i Betsi – yn ei hachos hi, edrych ar ôl y rhai a glwyfwyd a milwyr oedd yn sâl – tra bod Florence yn treulio mwy o amser yn trefnu a sicrhau cyhoeddusrwydd i'w gwaith. Nid yw'n syndod, efallai, fod haneswyr Lloegr yn tueddu i frolio gwaith Darwin a Nightingale, gan anghofio'r cyfraniad sylweddol – os nad allweddol – a wnaeth y Cymry, Wallace a Chadwaladr.

Gwlad ddiwydiannol gyntaf y byd

Tra bod y bobl y soniwyd amdanynt hyd yma'n ddylanwadol iawn yn eu meysydd arbennig eu hunain, gyda dyfodiad y chwyldro diwydiannol, daeth Cymru i arwain y ffordd ymhlith holl genhedloedd y byd.

Roedd dynion wedi ffrwyno grym dŵr a thân ers miloedd o flynyddoedd, wrth gwrs, ar gyfer coginio a gwneud offer metel ac arfau rhyfel – ac yn ddiweddarach i wneud dillad o wlân a chotwm. Fe gynyddodd y datblygiadau hyn yn gyflym iawn yn yr ail ganrif ar bymtheg a'r ddeunawfed ganrif a daeth ffwrneisi a gefeiliau mawr i wasanaethu ardaloedd eang. Y rhai a elwodd yn bennaf ar y gweithgareddau hyn oedd y tirfeddianwyr a gododd renti uchel ar y cyfalafwyr a'r dynion busnes oedd am agor pyllau mwyngloddio a sefydlu gweithfeydd ar eu tir.

Sefydlwyd gweithfeydd haearn y Bers, Coed-poeth, Wrecsam yn wreiddiol ym 1640 a gwelwyd twf cyson yn y cynnyrch trwy'r ddeunawfed ganrif. Ond gwelwyd y twf mawr cyntaf yn ail hanner y ddeunawfed ganrif yn ardal pen y cymoedd yn ne-ddwyrain Cymru, gan mai yno y cafwyd hyd i gyflenwadau cyfoethog o fwyn haearn, coed a chalch ac wedyn glo i fwydo'r ffwrneisi.

Sefydlwyd gwaith haearn Dowlais ym 1748, gwaith Hirwaun ym 1757, gwaith Cyfarthfa ym Merthyr Tudful ym 1765 a gwaith Blaenafon ym 1788.

Yn sgîl y Chwyldro Ffrengig ym 1789, fe ddienyddiwyd y brenin Louis XVI ym 1793 ac fe gododd hyn fraw ar lywodraeth Prydain gan iddynt ofni y gallai rhywbeth tebyg ddigwydd yn yr ynysoedd hyn. Fel y nodwyd eisoes, roedd amryw o feddylwyr blaenllaw Cymru a Lloegr wedi croesawu'r Chwyldro Ffrengig a'i ymlyniad wrth Gydraddoldeb, Brawdgarwch a Rhyddid. Aeth y sefyllfa'n fwy bygythiol fyth pan ddaeth Napoleon yn Ymerawdwr (roedd ef, gyda llaw, wedi dechrau bywyd yn genedlaetholwr Corsaidd a ymunodd â byddin Ffrainc er mwyn dysgu'r grefft filwrol gyda'r nod o ryddhau Ynys Corsica o afael Ffrainc!) a dechrau lledaenu ei awdurdod dros y Cyfandir cyfan. Ateb y Saeson oedd cryfhau eu llynges a danfon byddinoedd i Sbaen a'r Iseldiroedd i geisio atal Napoleon rhag cyrraedd at ei nod.

Fel canlyniad i'r datblygiadau hyn, cynyddodd y galw am haearn ar gyfer llongau a'r arfau a oedd yn angenrheidiol i weithredu'r polisi hwn. Fe gynyddodd y galw am haearn Cymru yn hanner cyntaf y bedwaredd ganrif ar bymtheg. Erbyn pedwardegau'r ganrif, roedd gan weithfeydd Dowlais ddeunaw o ffwrneisi yn cynhyrchu 88,000 tunnell o haearn y flwyddyn ac roedd cynnyrch de Cymru gyfan yn cyrraedd 630,000 tunnell y flwyddyn. Yn fuan, Merthyr Tudful – a chanddi bedwar o'r gweithfeydd haearn mwyaf – oedd y dref fwyaf yng Nghymru. Yn wir, Merthyr oedd y dref fawr ddiwydiannol gyntaf yn y byd.

Roedd angen allforio'r haearn, wrth gwrs, ac ni ellid defnyddio Afon Taf ar gyfer llwythi trymion. Felly adeiladwyd camlesi. Agorwyd yr un gyntaf – Camlas Morgannwg – i gysylltu Merthyr Tudful â Chaerdydd ym 1794 a dyma ddechrau twf anhygoel Caerdydd yn y bedwaredd ganrif ar bymtheg. Cyn bo hir, fodd bynnag, daeth yn amlwg na allai'r camlesi hyn ymdopi â'r cynnydd mawr a welwyd yn y blynyddoedd wedi'r Chwyldro Ffrengig a dyma oedd yr ysgogiad ar gyfer dull newydd o gludo llwythi trwm, sef y rheilffordd.

Y trên ager – Cymru ar y blaen eto

Mae'r Saeson yn hoffi meddwl mai'r peiriant ager cyntaf i dynnu trên ar gledrau oedd 'Rocket' Stephenson yn Darlington ym 1825. Maen nhw'n llwyddo rhywsut i anghofio i Trevithick guro Stephenson o 21 mlynedd ac i'r trên cyntaf o'i fath redeg o Benydarren ym Merthyr Tudful i Abercynon ym 1804. Hyd heddiw, gellir gweld twnnel rheilffordd cyntaf y byd ychydig i'r de o ganol tref Merthyr. Fe redodd y gwasanaeth rheilffordd cyson cyntaf i deithwyr o Abertawe i Mymbls ym 1806 – ond tynnid y tramiau hynny gan geffylau, nid peiriannau ager.

Yn ystod y bedwaredd ganrif ar bymtheg, daeth trenau oedd yn cael eu tynnu gan beiriannau ager yn brif fodd o symud nwyddau a phobl ar draws y byd ac, wrth gwrs, fe gynyddodd hyn y galw am y rheiliau haearn a gynhyrchid yn ffwrneisi Cymru. O Rwsia i America, o India i Affrica a De America, gellir gweld cledrau rheilffordd a gynhyrchwyd yng Nghymru o hyd.

Twf yr arfordir

Yng Nghymru yr arbrofwyd â dulliau newydd o gynhyrchu dur – dull Bessemer yn Nowlais ym 1866 a dull ffwrnais agored Siemens yng Nglandŵr, Abertawe ym 1868. Roedd y dulliau newydd hyn yn golygu bod y dur yn llawer cryfach a mwy hyblyg, ond roedd galw am fwyn haearn purach nag oedd ar gael yng Nghymru, a bu'n rhaid mewnforio mwyn haearn, yn bennaf o Dde America. Fe ychwanegodd hyn, wrth gwrs, at brysurdeb dociau de Cymru.

Cyn bo hir, fe sylweddolodd perchnogion y gweithfeydd dur nad oedd yn gwneud synnwyr i gludo'r mwyn haearn o'r dociau i ben y cymoedd, ac wedyn cludo'r dur yn ôl i'w allforio. Arweiniodd hyn at sefydlu gweithfeydd dur newydd ger yr arfordir a dyma ddechrau goruchafiaeth economaidd yr ardal honno.

Daeth Casnewydd yn borthladd allforio glo sylweddol ac yn y de-orllewin daeth Abertawe yn brif ganolfan copr, ac wedyn yn brif ganolfan nicel y byd. Llanelli ddaeth yn brif ganolfan alcam y byd, yn cynhyrchu 586,000 tunnell y flwyddyn erbyn degawd olaf y ganrif. Roedd pobl yn mwyngloddio copr yn Sir Fôn cyn i'r Rhufeiniaid gyrraedd, ond roedd y gweithfeydd hynny wedi hen gwympo'n adfeilion. Roedd galw cynyddol am gopr unwaith eto (dywed rhai mai'r copr a ddefnyddid i gryfhau gwaelod eu llongau rhyfel oedd yr hyn a roddodd reolaeth y tonnau i Brydain yn y bedwaredd ganrif ar bymtheg), a daeth adfywiad i'r diwydiant am gyfnod. Ond erbyn diwedd y ganrif roedd Abertawe'n mewnforio'r rhan fwyaf o'r copr oedd ei angen o Giwba a De America.

Yn ogystal, roedd Cymru yn allforio profiad a chrefft ei gweithwyr i wledydd eraill. Cafwyd galw mawr, er enghraifft, am Gymry profiadol i weithio yng ngweithfeydd newydd yr Unol Daleithiau. Aeth y rhan fwyaf o'r gweithwyr Cymreig i ogledd y wlad, ond gellir gweld o hyd yr adeilad sylweddol yn Richmond, Virginia, lle cynhyrchwyd y rhan helaeth o'r gynnau a'r arfau eraill a ddefnyddiwyd gan Gynghrair y De yn y Rhyfel Cartref. Enw'r gweithfeydd yw Tredegar ar ôl y dref ddiwydiannol yn ne Cymru.

Roedd Rwsia am fanteisio ar brofiad y Cymry hefyd a denodd Tsar Rwsia John Hughes o Ferthyr Tudful i sefydlu gwaith dur yn Wcrain. Aeth nifer sylweddol o Gymry gydag ef (mae rhai o'u disgynyddion yn byw yno o hyd), ac enwyd y dref yn Hughesovka ar ei ôl. Sefydlodd weithfeydd enfawr ac agor nifer o byllau glo i'w bwydo. Mae'r dref yn dal i fod yn un o drefi diwydiannol pwysicaf dwyrain Ewrop, dan yr enw Donetsk yn awr, ond maen nhw'n dal i goffáu cyfraniad y Cymry a'i sefydlodd.

Glo

Fe arweiniodd ffyniant y diwydiant dur ar draws y byd a'r cynnydd yn nifer y trenau, ac yn ddiweddarach y llongau a losgai lo, at dwf aruthrol yn y galw am lo o Gymru a dechreuwyd cloddio glo ar gyfer ei allforio yn hytrach nag i fwydo ffwrneisi lleol yn unig. Agorwyd y rhan fwyaf o byllau glo y Rhondda yn unswydd i'r diben hwn.

Hynny oedd wrth wraidd agor porthladd yn y Barri hefyd. Un o'r prif farwniaid glo oedd David Davies, yn wreiddiol o Landinam ym Mhowys. Roedd dociau Caerdydd i gyd ar dir a berthynai i'r Arglwydd Bute, ac fe gododd yntau renti sylweddol am yr hawl i'w defnyddio. (Roedd ef a'i deulu ymhlith teuluoedd cyfoethocaf y byd ar y pryd, yn bennaf trwy briodas â theulu o dirfeddianwyr Cymreig, sef y teulu Windsor – ymhell cyn i deulu brenhinol Lloegr fabwysiadu'r cyfenw yn ystod y Rhyfel Byd Cyntaf!). Doedd hyn ddim wrth fodd David Davies ac fe aeth ati i adeiladu ei ddociau ei hun yn y Barri. Yn wir, erbyn uchafbwynt y fasnach allforio glo ym 1913, roedd y Barri'n allforio mwy o lo na Chaerdydd ei hun.

Gogledd Cymru

Ffynnodd ardal ddiwydiannol gogledd-ddwyrain Cymru hefyd. Ni allai gystadlu â diwydiannau enfawr y de-ddwyrain, ond roedd ei seiliau'n fwy cadarn mewn rhai ffyrdd. Roedd diwydiant yno'n fwy amrywiol, ac nid oedd mor ddibynnol ar un neu ddau ddiwydiant mawr. Felly pan ddeuai gwasgfa economaidd, roedd yn haws i'r gogledd-ddwyrain ei wrthsefyll.

Daeth gogledd-orllewin Cymru yn ganolfan cynhyrchu llechi mwyaf y byd, a gwelir toeon llechi o Flaenau Ffestiniog, Llanberis neu Fethesda ar rai o adeiladau gorau Ewrop. Ond cafodd y diwydiant ergyd drom iawn, na fu modd ei goresgyn, pan wrthododd yr Arglwydd Penrhyn drafod gwella cyflogau'r gweithwyr yn Chwarel y Penrhyn. Fe dyfodd ei deulu'n gyfoethog iawn ar gefn llafur y gweithwyr ac fe adeiladodd gastell drudfawr ger Bangor iddo fe ei hun, ond gwrthododd wrando ar ddadleuon ei weithwyr am well cyflogau.

Chwarel y Penrhyn.

Yn lle hynny, fe gaeodd y gweithwyr allan o'r chwareli o 1900 i 1903 ac mae'r digwyddiad hwn yn dal yn fyw yng nghof cymunedau lleol. Hyd heddiw mae pobl yn cofio ble roedd teuluoedd unrhyw fradwyr yn byw. Ceisiwyd adfywio'r diwydiant wedi i'r Arglwydd Penrhyn ganiatáu i'r gweithwyr ddychwelyd i'r chwareli, ond erbyn hynny roedd yn rhaid i'r diwydiant gystadlu â theils rhatach yn ddeunydd toeon ac ni lwyddwyd i adennill y farchnad eang a fu ganddo gynt.

Brwydro i wella
bywyd y werin

Daeth problemau cymdeithasol mawr yn sgîl y chwyldro diwydiannol. Fe wnaed ffortiwn sylweddol gan nifer fach o bobl – y tirfeddianwyr, y rhai oedd â chyfalaf i'w fuddsoddi a'r prif beirianwyr – ond roedd bywyd yn anodd i'r rhai fu'n gorfod gwneud y rhan fwyaf o'r gwaith. Roedd dynion, merched a phlant yn treulio oriau maith yn gweithio mewn amgylchiadau caled ac awyrgylch afiach. Mae hanes, er enghraifft, am ferch ifanc bum mlwydd oed oedd yn gweithio ddeuddeg awr y dydd mewn pwll glo ym Merthyr. Ei gwaith oedd agor a chau'r drysau tan ddaear i'r wageni glo fynd heibio. Roedd ganddi gannwyll a chwdyn o fwyd yn gwmni iddi, ond wrth agor y drysau roedd y gwynt yn diffodd y gannwyll: treuliai y rhan fwyaf o'i hamser mewn tywyllwch affwysol – ac roedd y llygod mawr yn dwyn ei bwyd! Ymhen amser dyma'r Ddeddf Ffatrïoedd yn gwahardd cyflogi menywod a phlant tan ddaear, ond fe barhaodd yr arfer am amser sylweddol pan nad oedd goruchwylwyr y pyllau wrth law.

Doedd perchnogion y gweithfeydd ddim yn poeni rhyw lawer am ddiogelwch y gweithwyr ychwaith – pe baent yn cael eu niweidio neu'u lladd, roedd digon o weithwyr eraill i gymryd eu lle. Dywedir i reolwyr y pyllau glo ofalu'n well am y ceffylau a dynnai'r wageni tan ddaear na'r dynion oedd yn gweithio yno, am ei fod yn fwy costus i gael ceffyl newydd na glöwr newydd! Doedd y sefyllfa yn y gweithfeydd haearn fawr gwell. Roedd y gwaith yn galed iawn, yn aml mewn awyrgylch hynod boeth, ac yn beryglus iawn yn y mannau lle gweithid â metel crasboeth, toddedig, heb fawr o amddiffynfa rhag perygl. Roedd y rhan fwyaf o'r gweithwyr a'u teuluoedd yn gorfod byw ar ben ei gilydd mewn adeiladau cyfyng heb gyfleusterau iechyd, ac yn aml iawn fe'u talwyd â thocynnau na ellid eu defnyddio ond mewn siopau a thafarndai a berthynai i berchnogion y pyllau neu'r gweithfeydd – a'r prisiau'n uwch nag arfer, wrth gwrs, er mwyn cynyddu'r elw.

Chwifio'r Faner Goch am y tro cyntaf

Creai amodau byw fel hyn anawsterau mawr i'r rhan fwyaf o'r gweithwyr diwydiannol a chyn hir arweiniodd at deimlad o anfodlonrwydd. Daeth y teimladau hyn i benllanw am y tro cyntaf pan welwyd grwpiau o ddynion yn crwydro'r ardaloedd diwydiannol gan ymosod ar eiddo perchnogion y gweithfeydd dur a'r pyllau glo. Rhoddwyd yr enw 'Scotch Cattle' ar y gangiau hyn – ni ŵyr neb yn iawn pam. Roedd eu hymosodiadau'n ysbeidiol a di-drefn, ond cymerodd gweithwyr Merthyr Tudful fesurau mwy trefnus ym 1831, sef cerdded allan o'u gwaith a chynnal gwrthdystiad i fynnu cyflogau gwell ac amodau gwaith mwy derbyniol. Galwyd ar y fyddin i ddysgu gwers iddynt, ond ni roddwyd terfyn ar y gwrthdystiadau. Mabwysiadwyd y slogan 'Bara neu Waed' a throchwyd clwt o ddefnydd mewn gwaed dafad a'i chwifio yn her i'r milwyr – a dyna pryd y ganed y faner goch a ddefnyddir ar draws y byd erbyn hyn, yn faner i weithwyr sy'n brwydro dros gyfiawnder.

Fe roddodd y gwrthdystiadau ym Merthyr ein merthyr cyntaf o'r dosbarth gweithiol i ni, sef Richard Lewis, neu Dic Penderyn, o'i alw yn ôl ei enw poblogaidd. Dedfrydwyd ef i farwolaeth am ymosod ar un o'r milwyr oedd yn ceisio distewi'r dorf. Roedd Dic yn gwbl ddieuog o'r cyhuddiad ond roedd rhaid i'r awdurdodau gael bwch dihangol, wrth gwrs – traddodiad sy'n dal yn fyw hyd heddiw, fel y tystia'r nifer sylweddol o bobl yn yr ugeinfed ganrif (yng Nghymru yn unig heb sôn am weddill Prydain), a gafodd eu dedfrydu ar gam am ddynladdiad. Er gwaethaf protestiadau sylweddol,

fe grogwyd Dic yng Nghaerdydd. Ei eiriau olaf oedd: 'O Arglwydd, dyma gamwedd'. Fe gerddodd miloedd o bobl y tu ôl i'w gorff o Gaerdydd i'r fynwent yn ei dref enedigol, Aberafan. Flynyddoedd wedyn, fe gyfaddefodd dyn arall oedd wedi dianc i America mai ef oedd wedi clwyfo'r milwr.

Bedd Dic Penderyn.

Y Siartwyr

Cafodd perchnogion y gweithfeydd a'r pyllau ychydig o seibiant wedi tawelu gwrthdystiad Merthyr – ond ni pharhaodd hynny'n hir. Daeth grwpiau o ddynion at ei gilydd unwaith eto i drafod sut y gellid mynd â'r frwydr am amodau gwell yn ei blaen, a dechreuasant gysylltu â grwpiau tebyg yn Lloegr hefyd. Roedd gobaith y byddai Deddf Diwygio 1832 yn ateb eu problemau, ond fe siomwyd y dosbarth gweithiol pan ddeallwyd nad oedd y ddeddf honno ddim ond yn estyn pleidlais i oedolion gwrywaidd ag eiddo sylweddol. Cyhoeddodd cynrychiolwyr y gweithwyr Siartr ac ynddi chwe phwynt: pleidlais i bob oedolyn gwrywaidd, trefn bleidleisio ddirgel, etholaethau seneddol o'r un maint, etholiadau seneddol blynyddol, tâl i aelodau seneddol a diddymu'r amod bod yn rhaid i aelodau seneddol feddu ar eiddo o faint penodol – y ddau olaf, wrth gwrs, i'w gwneud hi'n bosibl i ddynion cyffredin sefyll mewn etholiad.

Yn y pen draw, cydsyniwyd â'r holl bwyntiau hyn, ar wahân i etholiadau blynyddol, ond fe'u hystyrid yn chwyldroadol iawn ar y pryd. Cyflwynwyd y Siartr i'r Senedd ar ffurf deiseb ym 1839, ac eto ym 1842 a 1848, ond fe'i gwrthodwyd â mwyafrif sylweddol bob tro. Roedd rhai o gefnogwyr y Siartr yng Nghymru yn dal bod angen gweithredu'n fwy uniongyrchol – yn enwedig y rheini yn ardaloedd diwydiannol y de-ddwyrain, yng Nghaerfyrddin ac yn Nyffryn Hafren o gwmpas Llanidloes a oedd yn ganolfan y diwydiant gwlân. (Yn y Drenewydd yn Nyffryn Hafren y cyhoeddwyd y catalog cyntaf erioed i bobl archebu nwyddau trwy'r post, arwydd o bethau i ddod!).

Trefnwyd gorymdeithiau o sawl cwm diwydiannol i lawr i Gasnewydd ym 1839 â rhyw 5,000 yn cymryd rhan. Dywed rhai mai'r bwriad oedd atal y trên i Birmingham, arwydd i bobl canolbarth Lloegr y dylen nhwythau godi hefyd. Roedd rhai o arweinwyr Siartwyr Cymru'n breuddwydio am greu gwladwriaeth fach ddemocrataidd yn ne-ddwyrain Cymru. Ond cafodd yr awdurdodau wybod am y trefniadau ac roedd milwyr yn disgwyl y gorymdeithwyr yng Ngwesty'r Westgate yng nghanol Casnewydd. Pan gyrhaeddodd y Siartwyr, saethodd y milwyr atynt a lladd rhyw ugain ohonynt.

Cipiwyd yr arweinwyr a'u dedfrydu i farwolaeth. Er mwyn ceisio osgoi mwy o drafferthion, newidiwyd y penderfyniad i alltudiaeth yn Awstralia. Un o'r rhai a ddedfrydwyd felly oedd John Frost, dyn amlwg yng Nghasnewydd a fu'n Ustus Heddwch ac yn Faer y dref. Yn ddiweddarach, enwyd sgwâr yng nghanol y ddinas ar ei ôl a chodwyd murlun enfawr hynod drawiadol o deils lliwgar i goffáu'r gyflafan y tu allan i Westy'r Westgate. Ond mewn gweithred anhygoel o fandaliaeth ddinesig fe bleidleisiodd cynghorwyr y ddinas o blaid chwalu'r murlun pan aethant ati i weddnewid y sgwâr ar ddechrau'r unfed ganrif ar hugain – esiampl drist iawn o'r modd yr anwybyddir elfennau pwysig iawn o'n hanes.

Wedi'r gyflafan yng Nghasnewydd, canolbwyntiodd y Siartwyr yn fwy ar weithio'n wleidyddol, gan drefnu cyfarfodydd ac ysgrifennu pamffledi i hybu'r Siartr. Dyma oedd yr enghraifft gyntaf o bobl yn ceisio sefydlu grŵp gwleidyddol i gynrychioli buddiannau'r dosbarth gweithiol, ac erbyn diwedd y ganrif fe arweiniodd hyn at sefydlu'r Blaid Lafur Annibynnol. Aelod Seneddol cyntaf y blaid newydd oedd Keir Hardie a gynrychiolai Merthyr Tudful ac Aberdâr, trefi a oedd yn yr un etholaeth seneddol y pryd hwnnw.

Merched Beca

Ni chyfyngwyd y cythrwfl cymdeithasol i'r ardaloedd diwydiannol. Roedd amodau byw pobl cefn gwlad hefyd wedi dirywio'n sylweddol ar ôl rhyfeloedd Napoleon, yn enwedig felly pan fu'n rhaid gyrru anifeiliaid am bellteroedd maith i gyrraedd y marchnadoedd newydd yn yr ardaloedd diwydiannol. Byddai'n rhaid dod â nwyddau o bellter hefyd, megis calch, i wella safon y pridd. Roedd angen gwella'r ffyrdd, ac fe aeth llawer o dirfeddianwyr ati i wneud hynny. Ond roedd yn rhaid talu'r pris. Codwyd clwydi ar draws y ffyrdd ac roedd hi'n ofynnol i dalu swm sylweddol i agor y clwydi er mwyn gadael i anifeiliad a nwyddau basio trwodd.

Profodd hyn yn faich ychwanegol ar y ffermwyr a dechreuasant ymosod ar y clwydi a'u dymchwel neu eu llosgi. Cymerasant adnod o'r Beibl a ddywedai y byddai merched Rebeca yn meddiannu clwydi eu gelynion, ac ymwisgodd y dynion fel merched a lliwio'u hwynebau'n ddu rhag i neb eu hadnabod. Dechreuodd y protestiadau yn Efail-wen, Sir Gaerfyrddin, ym 1839 ac aeth yr ymgyrch ymlaen am ryw ddeng mlynedd, gan ymledu i rannau eraill o Gymru wledig. Galwyd y dynion hyn yn 'Ferched Beca' a'r holl ymgyrch yn Derfysgoedd Rebeca, a defnyddiwyd rhyw 2,000 o filwyr i'w distewi.

Rhyfel y Degwm

Roedd y rhan fwyaf o ffermwyr y pryd hwnnw yn denantiaid i dirfeddianwyr mawr ac roeddent yn anfodlon iawn â'r drefn o dalu degwm (sef degfed ran o gynnyrch y fferm), i helpu cynnal yr Eglwys Anglicanaidd, tra bod y rhan fwyaf o'r ffermwyr yn perthyn i un o'r enwadau anghydffurfiol. Am ganrifoedd, fe delid y degymau hyn mewn nwyddau – dyna pam y gwelir cynifer o Ysguboriau Degwm ar draws y wlad lle gosodid degfed ran o gynnyrch y fferm at ddefnydd yr eglwys leol. Penderfynwyd ym 1836 bod angen talu'r degwm mewn arian yn hytrach na nwyddau o hynny ymlaen, penderfyniad a osodai faich trwm arall ar ysgwyddau'r ffermwyr.

Tua diwedd y bedwaredd ganrif ar bymtheg, dechreuodd ffermwyr yn Sir Ddinbych wrthod talu'r degwm. Danfonwyd y beili i gipio'u heiddo a'i osod ar werth yn y farchnad leol. Ond doedd neb yn barod i gynnig am y nwyddau a gymerwyd – rhai efallai mewn cydymdeimlad â sefyllfa'r ffermwyr, eraill am iddynt ofni dicter y ffermwyr a gollodd eu heiddo. Ymledodd y cythrwfl hwn i ardaloedd eraill yng ngogledd a chanolbarth Cymru a rhoddwyd yr enw Rhyfel y Degwm ar y mudiad.

Credai'r ffermwyr iddynt ennill buddugoliaeth fawr ym 1891 pan benderfynodd y llywodraeth bod rhaid i berchennog tir, ac nid y tenant, dalu'r degwm o hynny ymlaen. Ond fe sylweddolodd y tirfeddianwyr yn sydyn iawn y gallent wneud iawn am eu colled trwy godi rhent y tenantiaid. Parhaodd yr ymrafael a datblygodd yn bwnc llosg gwleidyddol. Daeth yn un o elfennau pwysig ymgyrch wleidyddol y Blaid Ryddfrydol, ac yn enwedig ymgyrchoedd y David Lloyd George ifanc. Y penllanw oedd y penderfyniad ym 1914 i ddatgysylltu'r Eglwys yng Nghymru, h.y. datgan nad oedd Eglwys Loegr yn grefydd swyddogol yng Nghymru bellach. Ond oherwydd y Rhyfel Mawr methwyd â chytuno ar gyfansoddiad newydd i'r Eglwys yng Nghymru tan 1920. Wedi hynny diddymwyd y gyfundrefn ddegwm yn gyfan gwbl.

Gwelwyd patrwm clir i weithwyr Cymru yn y bedwaredd ganrif ar bymtheg – yn yr ardaloedd diwydiannol a'r rhai gwledig fel ei gilydd. Defnyddiwyd dulliau uniongyrchol i geisio gwella eu sefyllfa a'u safon byw, ond gwelir iddynt droi at ddulliau mwy gwleidyddol wedyn er mwyn dilyn yr amcanion hynny'n fwy effeithiol.

Yr adwaith gymdeithasol

Mewnfudo ac allfudo

Cafodd y problemau a wynebwyd yn yr ardaloedd gwledig a'r twf anhygoel yn ardaloedd diwydiannol y de a'r gogledd-ddwyrain ddylanwad trwm iawn ar ddyfodol y gymdeithas a'r iaith Gymraeg.

Ers canol yr ail ganrif ar bymtheg bu pobl yn symud o'u cynefin i chwilio am fywyd gwell. Yn y blynyddoedd cynnar, prif ysgogiad y symud hwn oedd awydd i beidio â chydymffurfio â chrefydd swyddogol y wladwriaeth – a dyna pam yr aeth cynifer o Gymry i America. Yn ystod y ddeunawfed ganrif a'r bedwaredd ganrif ar bymtheg y prif gymhelliad oedd dianc rhag caledi economaidd a chwilio am fywyd gwell rhywle arall.

Roedd y Cymry a ymfudodd i America yn dymuno cadw eu hiaith a'u traddodiadau Cymreig ac adeiladwyd nifer fawr o gapeli Cymraeg lle cynhelid cyrddau pregethu, cymanfaoedd canu ac eisteddfodau, i gyd yn Gymraeg – rhai ohonynt yn para hyd heddiw. Cyhoeddwyd nifer o gylchgronau Cymraeg yno hefyd a drafftiwyd cyfansoddiad talaith newydd Wisconsin yn Gymraeg yn wreiddiol. Ond roedd y Cymry'n barod hefyd i ymdoddi i raddau helaeth iawn i'w cymdeithas newydd.

Fel y gwelsom, roedd rhyw draean neu fwy o'r bobl a lofnododd Ddatganiad Annibyniaeth America o dras

Gymreig. Yn y blynyddoedd dilynol, parhaodd nifer o bobl o dras Gymreig i chwarae rhan amlwg ym mywyd America – er enghraifft, John L Lewis a ddaeth yn llywydd undeb y glowyr ac yn un o'r arweinwyr llafur mwyaf grymus a welodd America erioed. Cymro tra gwahanol, ond un dylanwadol arall (a hannai o deulu Cymraeg eu hiaith o Sir Drefaldwyn), oedd Llewelyn Morris Humphreys a ddaeth yn ddirprwy i Al Capone dan yr enw 'Murray the Hump'. Yn wahanol i Capone ei hun, ni lwyddodd gwŷr cyfraith America erioed i roi The Hump o flaen ei well. Roedd e'n enwog am ei sgiliau diplomyddol. Ac yntau'n gyfaill i dad John F Kennedy, dywedir iddo sicrhau i'r mab gael ei ethol yn Arlywydd yr Unol Daleithiau trwy berswadio'r undebau llafur i'w gefnogi. Dyn go ddylanwadol ddywedwn i!

Y Wladfa

Erbyn canol y bedwaredd ganrif ar bymtheg roedd yna ymdeimlad cynyddol y dylid chwilio am gartref mwy parhaol, a chartref lle y byddai'r iaith Gymraeg yn ffynnu, i'r Cymry hynny oedd am ymfudo er mwyn cael bywyd gwell. Ystyriwyd nifer o wahanol ardaloedd yn gartref posibl, gan gynnwys Palestina, am fod llawer o enwau lleoedd yno'n gyfarwydd i'r Cymry o'u hastudiaethau Beiblaidd (diolch i'r drefn na ddewiswyd mynd yno!). Yn y diwedd, penderfynwyd ymsefydlu ym Mhatagonia, talaith fwyaf deheuol yr Ariannin – yn rhannol am fod y boblogaeth frodorol yn fach iawn, ac yn ail am i lywodraeth yr Ariannin, oedd yn awyddus i wladychu'r ardal honno, addo manteision economaidd iddynt.

Llogwyd llong, y *Mimosa*, a hwyliodd o Lerpwl ym 1865 â rhyw 160 o Gymry arni, a sefydlu gwladfa fechan ym Mhatagonia, yn agos i arfordir Iwerydd. Roedd y tir yn ddiffrwyth ac yn anodd iawn i'w ffarmio, ond trodd y Cymry ati a thorri rhwydwaith eang o gamlesi mawr i ddyfrhau'r tir i'w wneud yn ffrwythlon. Mae'r camlesi hyn yn dal i iro'r tir yn effeithiol hyd heddiw. Rai blynyddoedd wedyn, aeth carfan o'r gwladychwyr gannoedd o filltiroedd i'r gorllewin i sefydlu gwladfa arall ym mlaenau mynyddoedd yr Andes. Mae'n ddiddorol nodi i fenywod yn ogystal â dynion gael yr hawl i bleidleisio yn y gwladfeydd hyn – y tro cyntaf i hynny ddigwydd unman yn y byd.

Er i nifer sylweddol o ymfudwyr eraill setlo yn yr ardaloedd hyn, llwyddwyd i gadw'r iaith Gymraeg a thraddodiadau Cymreig yn fyw am flynyddoedd lawer. Yn y pen draw, bu'n rhaid iddynt i gyd ddysgu Sbaeneg,

Y *Mimosa*.

iaith swyddogol yr Ariannin, ond hyd heddiw mae nifer sylweddol o ddisgynyddion y Cymry yn dal i siarad Cymraeg yn ogystal â Sbaeneg. Mae Llywodraeth Cymru'n cyfrannu at ddysgu Cymraeg yn yr ysgolion yno ac mae dysgu'r Gymraeg yn mynd yn fwyfwy poblogaidd, hyd yn oed ymhlith pobl heb unrhyw dras Gymreig, gan iddynt sylweddoli bod manteision mawr yn dod yn sgîl bod yn ddwyieithog. Mae eisteddfodau'n dal yn boblogaidd yn y Wladfa, fel y maen nhw ymhlith pobl o dras Gymreig yn yr Unol Daleithiau. Mae'r eisteddfod – er na chynhelir hi yn Gymraeg – yn boblogaidd iawn yn Awstralia hefyd. Mae hi mor boblogaidd yno fel nad ystyrir hi yn ffenomenon Gymreig!

Ddechrau'r ugeinfed ganrif roedd rhai am weld y darn o dde Patagonia sydd yn ardal yr Andes yn cael ei lyncu gan Chile a bu refferendwm i ofyn barn y trigolion. Roedd y Cymry yno, wrth gwrs, am aros yn yr Ariannin er mwyn cadw'r cysylltiad rhyngddyn nhw a'r Cymry ger yr arfordir a bu ymgyrchu cryf o blaid cadw'r ardal yn rhan o'r Ariannin. Dyna fu penderfyniad y refferendwm a daeth Arlywydd yr Ariannin i gyfarfod yn nhref Gaiman i ddiolch i'r Cymry am eu cefnogaeth (mewn gwesty a adeiladwyd gan fy hen daid sef Ysgol Gerdd Gaiman erbyn hyn).

Ymfudo Mewnol

Doedd y raddfa ymfudo o Gymru ddim byd tebyg i'r raddfa ymfudo tramor a welwyd yn Iwerddon. Gan nad oedd fawr o ddiwydiant trwm yno bu'n rhaid i'r rheini oedd am symud ymfudo i wledydd tramor. Ond roedd diwydiannau newydd yn ffynnu yng Nghymru, ac ni fu'n rhaid i'r Cymry fynd dramor gan nad oedd angen symud ond hyd at hanner can milltir i'r dwyrain o'u cynefin i gael hyd i waith newydd.

Yn sgîl hyn, y Gymraeg oedd prif iaith Cymru gyfan (ar wahân i ran o dde Penfro lle roedd ymfudwyr o'r Cyfandir wedi setlo ganrifoedd ynghynt a'r rhan fwyaf erioed wedi dysgu'r iaith). Ymhob man arall, roedd capeli a chylchgronau Cymraeg yn ffynnu. Un o brif feirdd Cymraeg y ganrif oedd William Thomas o ran ddeheuol Cwm Sirhywi yng Ngwent. Cymerodd ei enw barddol, Islwyn, o fynydd yn yr ardal a chyffelybir ei farddoniaeth grefyddol i eiddo'r bardd Saesneg Milton.

Ar wahân i bobl oedd yn symud i'r ardaloedd diwydiannol o ardaloedd gwledig Cymru, roedd nifer gynyddol o deuluoedd yn dod o dde-orllewin Lloegr. Ond at ei gilydd, hyd at ddiwedd y ganrif, roedd y bobl hyn yn ymdoddi i'r gymdeithas leol ac yn dysgu siarad Cymraeg. Yn wreiddiol roedd y chwyldro diwydiannol wedi diogelu'r iaith Gymraeg trwy sicrhau y gallai'r Cymry oedd am ymfudo aros yn eu gwlad eu hunain yn hytrach na mynd dramor fel y bu'n rhaid i'r Gwyddelod – ac i raddau helaeth collwyd Gaeleg y Gwyddyl yn y broses, ond fe oroesodd yr iaith Gymraeg.

Seisnigeiddio

Ond newidiodd pethau'n gyflym iawn tua diwedd y bedwaredd ganrif ar bymtheg. Ni ellid cyflenwi'r galw am fwy a mwy o lafur o'r tu mewn i Gymru yn unig a heidiodd miloedd yma o bob rhan o Loegr. Daeth Caerdydd yn borthladd allforio glo mwyaf y byd ac yng

Nghyfnewidfa Lo Caerdydd y llofnodwyd y siec gyntaf yn y byd am filiwn o bunnoedd – ar ran llynges yr Unol Daleithiau am lo Cymreig a ystyrid o'r ansawdd gorau yn y byd ar y pryd. Hwyliodd llongau o Gaerdydd i bob rhan o'r byd ac ardal Porth Teigr yng Nghaerdydd oedd yr ardal fwyaf cosmopolitan ym Mhrydain. Yma y codwyd y mosg gyntaf ym Mhrydain ac mae Caerdydd hyd heddiw yn gartref i'r unig Eglwys Uniongred Roegaidd a godwyd yn yr ynysoedd hyn yn unswydd ar gyfer deiliaid yr eglwys honno.

Priododd amryw o'r gweithwyr newydd ferched o Gymru ac fe ddysgodd llawer ohonynt Gymraeg. Rwy'n cofio hen ŵr ym Merthyr Tudful yr oedd Eidaleg yn famiaith iddo. Ar ôl i'w deulu symud i Ferthyr o'r Eidal, dysgodd siarad Cymraeg ac wedyn Saesneg. Wrth heneiddio, a'i gof yn pallu, collodd ei afael ar y Saesneg, ond roedd e'n cofio'i Eidaleg a'i Gymraeg o hyd.

Ond dechreuodd gallu'r cymunedau lleol Cymraeg i gymathu ymfudwyr newydd wanhau a sylweddolodd y mewnfudwyr y gallent ymdopi'n iawn heb orfod dysgu'r Gymraeg. O ddechrau'r ugeinfed ganrif ymlaen dechreuodd canran y boblogaeth a siaradai Gymraeg ddisgyn yn fwyfwy cyflym, yn enwedig yn yr ardaloedd diwydiannol.

Yn ystod hanner cyntaf yr ugeinfed ganrif gwelwyd ffrwd fechan o Saeson yn symud i chwilio am well amodau byw yng nghefn gwlad Cymru nag oedd ar gael yn ninasoedd mawr Lloegr. Tyfodd yn ffrwd gref mewn dim o amser a doedd llawer o'r newydd-ddyfodiaid ddim yn gweld unrhyw reswm i gymathu â'r gymdeithas leol. Roedd nifer fach o eithriadau, wrth gwrs, ond at ei gilydd roedd y bobl hyn yn disgwyl i'r gymuned leol newid ei dull o fyw, a hyd yn oed ei hiaith, er hwylustod y mewnfudwyr. Erbyn hyn mae chwarter poblogaeth Cymru wedi cael eu geni y tu allan iddi.

Mae ein profiad yng Nghymru, efallai, wedi rhoi rhyw syniad i ni o'r problemau a ddaw yn sgîl yr ymfudo ar raddfa eang y mae'r Saeson bellach yn gorfod dechrau ymgodymu ag ef. Ni fu'r Cymry erioed yn erbyn mewnfudwyr fel y cyfryw. Os ydynt am ymuno â'n cymdeithas ni, a dod yn rhan o'r gymuned leol a pharchu ein hiaith, fe'u croesewir. Mae problemau'n codi pan nad yw'r ymfudwyr am ymdoddi i'r gymdeithas leol, pan nad ydynt yn parchu ei thraddodiadau, ei chrefydd a'i hiaith, ac yn enwedig os ydynt yn disgwyl i'r gymdeithas leol gydymffurfio â'u hiaith a'u traddodiadau nhw. Buom yn ymdopi â'r problemau hyn yng Nghymru ers dros gan mlynedd tra bod y Saeson, am y tro cyntaf yn wir, yn gorfod delio â'r ffaith i rai o'r ymfudwyr wneud iddynt deimlo fel estroniaid yn eu gwlad eu hunain.

Y cytundeb cymdeithasol newydd

O ganol y bedwaredd ganrif ar bymtheg ymlaen gwelwyd twf cyffredinol ymhlith cenhedloedd y gorllewin – h.y. ar wahân i'r Unol Daleithiau – yn y gred nad sicrhau diogelwch y wladwriaeth a'r unigolyn yw unig swydd y llywodraeth, ond y dylai hefyd hybu cymdeithas iachach, fwy teg a chydradd. Bu Cymry ar flaen y gad yn y datblygiadau hyn.

Gwelsom sut y bu i Gymry megis Richard Price a David Williams ddylanwadu ar syniadau radicalaidd, nid yn unig ym Mhrydain, ond yn Ffrainc ac America hefyd. Yng nghanol y bedwaredd ganrif ar bymtheg gwelwyd Cymro arall ar flaen y gad, y tro hwn trwy ei weithredoedd ymarferol ac nid ei athroniaeth yn unig. Ei enw oedd Robert Owen, un yn hanu o'r Drenewydd yn Sir Drefaldwyn. Fe oedd yr arloeswr cyntaf yn y mudiad a ddadleuodd y dylai ffatrïoedd a gweithfeydd eraill fod yn perthyn i'r bobl a weithiai ynddynt, yn hytrach nag i'r cyfalafwyr. Sefydlodd y ffatrïoedd cyntaf yn seiliedig ar yr egwyddorion hyn yn yr Alban ac wedyn yn yr Unol Daleithiau. Fe oedd tad y mudiad cydweithredol y mae amryw heddiw yn ei ystyried yn ateb i ddulliau trahaus cyfalafiaeth ryngwladol.

Addysg

Trwy gydol y bedwaredd ganrif ar bymtheg rhoes anniddigrwydd gweithwyr Cymru – yn yr ardaloedd diwydiannol a'r ardaloedd gwledig fel ei gilydd – hwb i'r ymgyrch i wella sefyllfa gyfansoddiadol pobl gyffredin. Arweiniodd hefyd at sefydlu cyfundrefn addysg uwch yng Nghymru, cyn i Loegr gael cyfundrefn gynhwysfawr debyg. Wrth wraidd hyn oedd sylweddoliad y llywodraeth y byddai'n llai costus, ac yn fwy effeithiol, i roi addysg i'r bobl na danfon milwyr i'w cadw'n dawel. Trefnwyd ymchwiliad i achosion y terfysgoedd yng Nghymru a'r enw a roddodd y Cymry ar adroddiad yr ymchwiliad hwnnw oedd 'Brad y Llyfrau Gleision', gan ddwyn i gof Brad y Cyllyll Hirion 1,400 o flynyddoedd cyn hynny!

Gosododd yr adroddiad y rhan fwyaf o'r bai am y sefyllfa yng Nghymru, nid ar yr amodau cymdeithasol dychrynllyd y bu'n rhaid i bobl fyw ynddynt, ond ar y ffaith fod pobl yn siarad Cymraeg yn lle Saesneg. (Mae'r Saeson bob amser yn ei chael hi'n anodd deall pam nad yw pawb yn y byd am siarad Saesneg!) Roedd yr ysgolion a sefydlwyd yn sgîl Deddfau Addysg o 1870 ymlaen yn elfen gref iawn yn y broses o danseilio'r iaith Gymraeg. Rhoddwyd y gansen i blant bach uniaith Gymraeg am siarad eu hiaith eu hunain ac fe'u hanogid i osgoi'r gosb hon trwy bwyntio bys at blant eraill oedd yn siarad Cymraeg. Cafodd fy nhad innau'r gansen sawl gwaith am siarad Cymraeg yn yr ysgol ym Mlaenau Ffestiniog.

Yn eironig iawn, roedd canran y boblogaeth a allai ddarllen ac ysgrifennu yn uwch yng Nghymru nag yn

Lloegr. Fel y gwelsom, roedd hyn yn ddyledus yn rhannol i ysgolion cylchynol Griffith Jones yn y ddeunawfed ganrif ac wedyn ysgolion Sul yr Anghydffurfwyr yn y ganrif ganlynol. Yn aml iawn yn Lloegr, defnyddid yr ysgolion hyn i gadw plant yn dawel ar brynhawn Sul. Yng Nghymru roedd pobl o bob oedran yn mynychu'r ysgolion Sul a'u prif bwrpas oedd eu dysgu i ddarllen y Beibl a meddwl drostynt eu hunain, yn hytrach na dibynnu ar ddefodau ac arweiniad yr offeiriaid.

Sefydlu Prifysgol

Ar wahân i'r ddarpar brifysgol gyntaf oll yn Llanilltud Fawr dros bymtheg cant o flynyddoedd yn ôl, pe bai gwrthryfel Owain Glyndŵr wedi llwyddo, buasai gennym o leiaf un, os nad dwy brifysgol yng Nghymru ers y bymthegfed ganrif. Roedd yr Eglwys Anglicanaidd wedi agor Coleg Dewi Sant yn Llanbedr Pont Steffan yn y flwyddyn 1827 i hyfforddi offeiriaid newydd, a Choleg y Drindod yng Nghaerfyrddin ym 1848 i hyfforddi athrawon. Ond bu'n rhaid i ni aros tan ail hanner y bedwaredd ganrif ar bymtheg cyn sefydlu'n prifysgol fodern gyntaf. Ac yr oedd y brifysgol honno'n wahanol i'r rhelyw o brifysgolion Ewrop – y rhan fwyaf ohonynt wedi'u sefydlu trwy rym brenin neu lywodraeth, neu haelioni noddwr cyfoethog. Sefydlwyd Prifysgol Cymru trwy gasglu 'ceiniogau'r gweithwyr', ymgyrch gydweithredol hynod i gasglu arian mân oddi ar y chwarelwyr, y glowyr a'r ffermwyr – y rhan fwyaf ohonynt yn dlawd iawn. Codwyd digon i agor coleg cyntaf y brifysgol yn Aberystwyth ym 1872.

Datblygodd wedyn yn Brifysgol ffederal a chanddi

golegau yng Nghaerdydd, Bangor ac Abertawe a'r Ysgol Feddygol yng Nghaerdydd. Gwaith y brifysgol oedd addysgu plant ifainc Cymru a'i gwneud hi'n bosibl iddynt wasanaethu ein bywyd cenedlaethol yn effeithol. Mae'r colegau gwreiddiol wedi penderfynu ymsefydlu'n brifysgolion ar wahân, ac amryw o'r hen golegau addysg uwch wedi dilyn eu hesiampl. Daeth Coleg Dewi Sant yn rhan o Brifysgol Cymru ym 1971 ac fe ddilynodd Coleg y Drindod yn 2004. Fe unwyd y ddau goleg ychydig ar ôl hynny yn Goleg y Drindod Dewi Sant a hwnnw erbyn hyn yw prif gnewyllyn yr hyn sydd ar ôl o Brifysgol Cymru.

Mae'n ymddangos nad yw'r rhan fwyaf o'r prifysgolion sy'n frith trwy Gymru erbyn hyn yn rhannu'r weledigaeth wreiddiol. Fe drefnir y rhan fwyaf ohonynt megis busnes, ac mae'r pwyslais ar ddenu mwy a mwy o fyfyrwyr o bedwar ban byd, yn hytrach na gwasanaethu Cymru neu'r gymuned leol. Mae'n siŵr bod chwyddo niferoedd y myfyrwyr yn chwyddo ego rhai o arweinwyr y prifysgolion hyn – ac nid yw'n gwneud niwed i faint eu cyflogau chwaith – ond nid yw'n glir yn aml iawn sut y mae Cymru ei hun yn elwa ar y chwyddiant hwnnw.

Yr elfen ryngwladol

Fe barhaodd Richard Price a David Williams i ddangos diddordeb cryf mewn materion rhyngwladol yn y bedwaredd ganrif ar bymtheg. Un o arloeswyr yr ymgyrch i sefydlu Cynghrair Rhyngwladol i ddod â gwledydd at ei gilydd er mwyn datrys problemau rhyngwladol yn heddychlon oedd Henry Richard o

Dregaron. Fe berswadiodd y pwerau mawr i ddatgan, ar ddiwedd Rhyfel Crimea, pe bai unrhyw anghydfod yn codi rhwng gwladwriaethau, y dylid ceisio ateb y sefyllfa trwy gymrodedd yn hytrach na thrwy ryfel – y datganiad cyntaf o'i fath erioed. Etholwyd Henry Richard yn Aelod Seneddol Merthyr Tudful ac Aberdâr ac – yn erbyn ewyllys y Prif Weinidog Gladstone – perswadiodd y Senedd i gefnogi'r polisi hwn a dadleuodd yn ddi-baid am ryw fath o Gynghrair Rhyngwladol sefydlog.

Cafodd ei adnabod yn Apostol Heddwch ac mae'n siŵr na fyddai'n fodlon ar y Cenhedloedd Unedig gwan sydd gennym ar hyn o bryd. Fe anwybyddir barn y corff hwnnw dro ar ôl tro gan wledydd megis yr Unol Daleithiau ac Israel. Wrth gwrs, nid cymdeithas o gynrychiolwyr cenhedloedd y byd mo'r 'U.N.' o gwbl, ond cymdeithas sy'n cynrychioli gwladwriaethau'r byd, amryw ohonynt yn cynnwys sawl cenedl. Efallai mai dyna ei brif wendid.

Llwyddwyd i sicrhau pleidlais i bob dyn a phleidleisio dirgel erbyn diwedd y ganrif ac yn sgîl hynny torrwyd grym gwleidyddol y tirfeddianwyr. Roedd y Cymry bellach – neu ddynion Cymru o leiaf, (bu'n rhaid i ferched aros tan ar ôl y Rhyfel Byd Cyntaf cyn ennill yr hawl i bleidleisio) – yn gallu mynegi barn wleidyddol trwy bleidlais. Ac yn ddieithriad, o'r adeg hon hyd heddiw, mae mwyafrif llethol y Cymry wedi pleidleisio dros bleidiau radical neu rai ar y chwith. Nid enillodd y Toriaid erioed fwyafrif o'r seddi Cymreig. Ac, wrth gwrs, etholaeth Gymreig (Merthyr ac Aberdâr) etholodd Keir Hardie ym 1900, yn gynrychiolydd cyntaf y dosbarth gweithiol. Gyda llaw, roedd yn gefnogwr brwd dros ymreolaeth i Gymru.

Magodd Cymru nifer o arweinwyr radical, gan gynnwys William Abraham, neu Mabon – y Cymro cyntaf i fod yn amlwg ym mudiad yr undebau llafur. Fe oedd Llywydd cyntaf Ffederasiwn Glowyr De Cymru ac yn un o'r rhai a ysgrifennodd *The Miners' Next Step*, cyhoeddiad pwysig iawn a ddadleuodd o blaid rhoi'r diwydiant glo yn nwylo'r cyhoedd – ond nid gwladoli canolog, fel y cafwyd yn y pen draw, ond cyfundrefn 'syndicalaidd' gyda grwpiau lleol yn rheoli'r diwydiant. Etholwyd Mabon yn Aelod Seneddol – yn gyntaf yn 'Lib-Lab' (rhyddfrydwyr a oedd yn tueddu i ochri gyda'r gweithwyr cyffredin) ac wedyn yn aelod o'r Blaid Lafur pan sefydlwyd honno.

Yr undebau llafur a'r Blaid Lafur

Roedd Cymru'n ganolog, mewn gwirionedd, yn natblygiad yr undebau llafur a'r Blaid Lafur. Daeth y trobwynt pan aeth gweithwyr Rheilffordd Cwm Taf ar streic ym 1900, yn dilyn diswyddo un o'r gweithwyr. Cyflogodd y perchnogion weithwyr eraill oedd yn barod i dorri'r streic ac aethant ag undeb y gweithwyr i'r llys i hawlio iawndal am eu colledion ariannol. Enillwyd yr achos a bu'n rhaid i'r undeb dalu iawndal o £23,000 a chostau o £25,000 – symiau enfawr yn y dyddiau hynny. Hyn yn bennaf a ysgogodd yr undebau i benderfynu bod angen cynrychiolaeth gryfach yn y Senedd na Lib-Labs y Blaid Ryddfrydol.

Sefydlwyd y Blaid Lafur newydd ac erbyn 1906 roedd ganddi 29 o Aelodau Seneddol a lwyddodd i berswadio'r Senedd i basio Deddf Anghydfodau Masnachol y flwyddyn honno. Yn ôl y ddeddf honno, ni allai perchnogion bellach erlyn yr undebau am golledion ariannol yn ystod streic ac fe roddwyd yr hawl i weithwyr bicedi'n heddychlon hefyd.

David Lloyd George

Cymro enwocaf yr adeg hon, wrth gwrs, oedd David Lloyd George a ddaeth yn Brif Weinidog yn ystod y Rhyfel Byd Cyntaf. Gellir dadlau mai ef oedd y Prif Weinidog mwyaf effeithiol a gafodd Prydain erioed. Gwnaeth enw iddo'i hun wrth ddadlau yn erbyn y degwm ac fe'i etholwyd yn Aelod Seneddol Bwrdeistrefi Caernarfon ym 1890 – gan gadw ei sedd yn y Senedd tan 1945. Ymgyrchodd dros ddatgysylltu Eglwys Loegr yng Nghymru, mesur a basiwyd ym 1914. Yn nhraddodiad gorau Henry Richard fe ddadleuodd yn daer o blaid gwrthwynebu y rhyfel yn erbyn y Bweriaid yn Ne Affrica (safbwynt amhoblogaidd iawn ar y pryd yng nghanol imperialaeth ryfelgar yr oes). Ar un achlysur bu'n rhaid iddo ddianc rhag y dorf mewn cuddwisg wedi cyfarfod cyhoeddus yn Birmingham, i osgoi achosi terfysg.

Fodd bynnag, roedd ganddo'r math o gymeriad a gallu rhethregol na ellid eu hanwybyddu ac fe'i penodwyd yn Llywydd y Bwrdd Masnach ym 1905, a'i ddyrchafu'n Ganghellor y Trysorlys ym 1908. Roedd y Torïaid yn chwyrn yn erbyn ei gyllideb ym 1909 (y rhoddwyd yr enw 'Cyllideb y Bobl' iddi) ac fe lwyddon nhw i gael Tŷ'r Arglwyddi i bleidleisio yn ei herbyn ddwywaith. Arweiniodd hyn at fesurau i leihau pwerau Tŷ'r Arglwyddi a sichau mai Tŷ'r Cyffredin fyddai fwyaf pwerus o hynny ymlaen.

Pan oedd yn Ganghellor, sefydlodd Lloyd George Bensiwn Henoed – dim ond pum swllt yr wythnos i ddechrau, ond yn ddigon y dyddiau hynny i gadw pobl rhag newynu. Ar ôl gwanhau pwerau Tŷ'r Arglwyddi bu'n bosibl hefyd iddo sefydlu trefn fudd-daliadau i'r di-waith. Dyma wreiddyn cyfundrefn o fudd-daliadau i bobl na allent, neu na fyddai'n rhesymol disgwyl iddynt, weithio. Hyn oedd wrth wraidd y mesurau a argymhellwyd yn adroddiad Beveridge yn ddiweddarach ac a weithredwyd gan y Llywodraeth Lafur ar ôl yr Ail Ryfel Byd.

Cymerodd Lloyd George safiad yn erbyn y Rhyfel Byd Cyntaf hefyd, gan ddadlau mai ffrae rhwng y pwerau mawr ydoedd ac nad oedd egwyddorion pwysig i bobl gyffredin yn y fantol. Unwaith y dechreuodd y rhyfel, fodd bynnag, teimlai fod rhaid ymladd mor effeithiol â phosibl. Fe'i penodwyd yn Weinidog Arfau ym 1915 – pwnc llosg iawn ar y pryd, am fod gan yr Almaenwyr well arfau o lawer na byddin Prydain.

Roedd Lloyd George mor llwyddiannus yn y swydd hon fel y dyrchafwyd ef yn Ysgrifennydd Gwladol dros Ryfel ym Mis Gorffennaf 1915, ac ym 1916 fe ddilynodd Asquith yn Brif Weinidog. Ysbrydolodd y wlad yn yr un ffordd ag y gwnaeth Churchill yn ystod yr Ail Ryfel Byd, ac mae'n debyg bod llawer yn cofio amdano yn bennaf am hynny. Yn wahanol i Churchill ym 1945, llwyddodd Lloyd George i gadw ei swydd yn Brif Weinidog wedi'r rhyfel – ond yn rhan o glymblaid lle'r oedd y mwyafrif gan y Toriaid. Methodd â chyflawni llawer yn y cyfnod hwn a dechreuodd rhagolygon y Blaid Ryddfrydol wywo.

Fel Churchill, gwnaeth Lloyd George rai penderfyniadau y bu iddynt ganlyniadau anffodus. Dylid sôn, efallai, am dri yn arbennig. Yn gyntaf, fe gytunodd i Ddatganiad Balfour ym 1916 a addawodd gartref ym Mhalestina i Iddewon y byd, heb ymgynghori â'r bobl oedd yn byw ym Mhalestina ar y pryd, ac arweiniodd hynny, wrth gwrs, at wraidd y problemau dyrys sy'n wynebu'r Dwyrain Canol hyd heddiw.

Yn ail, roedd ganddo ran amlwg yn y trafodaethau a arweiniodd at Gytundeb Versailles ar ddiwedd y Rhyfel Byd Cyntaf, cytundeb a orfododd amodau caled iawn ar yr Almaen. Dywed rhai mai ef a ddywedodd, 'Rhaid gwasgu'r Almaen nes i'r hadau ddisgyn' ond mae eraill yn priodoli'r geiriau i Churchill. Yn wir, mae rhai haneswyr yn dadlau y buasai'r amodau ar yr Almaen wedi bod yn llymach o lawer oni bai am gyfraniad Lloyd George. Fe gydnabyddir yn gyffredinol erbyn hyn i'r amodau a osodwyd ar yr Almaen achosi anhrefn economaidd yn ystod dauddegau a thridegau'r ganrif ddiwethaf ac mai hynny a baratôdd y tir at dwf syniadaeth eithafol y Natsïaid.

Yn drydydd, bu Lloyd George yn gefnogol i'r syniad o 'Ymreolaeth i Bawb' yn ynysoedd Prydain. Ceisiodd Gladstone fwy nag unwaith i gael y Senedd i gytuno ar fesur o hunanlywodraeth i Iwerddon, yn rhannol am ei fod yn cytuno â'r egwyddor ond hefyd er mwyn cadw cefnogaeth angenrheidiol rhai o'r Aelodau Seneddol Gwyddelig. Ond methiant fu pob ymgais gan Gladstone. Wedi'r rhyfel, ac wrth gofio am wrthryfel y Pasg yn Nulyn ym 1916, llwyddodd Lloyd George i greu Gwladwriaeth Annibynnol Iwerddon. Ond doedd hynny ddim yn plesio pawb yn y wlad honno a bu rhyfel cartref yno. Cytunodd Lloyd George i ddefnyddio'r 'Black and Tans' (carcharorion a ryddhawyd yn unswydd i ymladd yn Iwerddon) yn erbyn y rheini na allent dderbyn y cytundeb. Cafwyd adroddiadau o ddulliau treisgar ble bynnag yr âi'r fintai hon – ac fe roes hynny enw drwg iawn i Lloyd George yn Iwerddon.

Mae'r esiamplau hyn yn dangos pa mor hawdd yw hi i greu problemau newydd wrth geisio datrys y problemau sydd yno'n barod. Fodd bynnag, wrth edrych ar y cyfan a gyflawnodd Lloyd George, credaf y gellir dweud na lwyddodd unrhyw brif weinidog ym Mhrydain erioed i gyflawni cymaint ag y gwnaeth ef.

Wedi'r Rhyfel Byd Cyntaf

Yn fuan wedi'r Rhyfel Byd Cyntaf fe lwyddodd y Blaid Lafur i ddominyddu gwleidyddiaeth Cymru, fel y mae'n gwneud i raddau helaeth hyd heddiw. Yn fuan wedi'r rhyfel hwnnw, fodd bynnag, sefydlwyd plaid wleidyddol newydd yng Nghymru, sef Plaid Genedlaethol Cymru neu Blaid Cymru, o roi iddi ei henw presennol. Fe'i sefydlwyd yn Eisteddfod Genedlaethol Pwllheli ym 1925 pan ymunodd grŵp bach o genedlaetholwyr o Benarth yn Ne Cymru â grŵp bach arall o ardaloedd y chwareli llechi yn y gogledd.

Prif ddiddordeb grŵp y de oedd cynnal cymunedau Cymraeg eu hiaith a diogelu diwylliant a thraddodiadau Cymru. Prif ddiddordeb grŵp y gogledd oedd gwella safonau byw y bobl gyffredin. Oherwydd hyn, ac yn wahanol iawn i nifer o fudiadau cenedlaethol ar draws y byd sy'n tueddu bod o naws frenhinol ac yn gwyro tuag asgell dde gwleidyddiaeth, fe fagodd y blaid newydd ymlyniad at gyfiawnder cymdeithasol a chydraddoldeb rhwng cymunedau a rhwng cenhedloedd. Diffiniwyd 'cenedl' fel 'cymuned o gymunedau' a dadleuwyd y dylid seilio'r drefn ryngwladol ar gymuned o genhedloedd a fyddai'n dod at ei gilydd i ddatrys unrhyw anghydfod rhyngwladol heb ildio o reidrwydd i ddymuniadau pwerau mawr y byd.

Mae'r syniadau hyn yn hollol gytûn â'r syniadau a'r egwyddorion a ledaenwyd gan feddylwyr Cymru trwy'r oesoedd. Yn nhermau rhethreg, bu gwahaniaethau dirfawr rhwng y Blaid Lafur a Phlaid Cymru ar hyd y blynyddoedd – rhethreg y Blaid Lafur yn seiliedig ar syniadau athronyddol a gwleidyddol, ac eiddo Plaid Cymru yn seiliedig yn bennaf ar werthoedd traddodiadol Cymreig. Yn ymarferol, fodd bynnag, mae eu hegwyddorion sylfaenol yn llawer nes at ei gilydd. Mae'r ddwy yn rhyngwladol eu gorwelion – a chefnogwyr Llafur yn aml yn tybio nad yw hyn yn gyson â chenedlaetholdeb, tra bod Plaid Cymru'n dadlau na ellir adeiladu trefn ryngwladol dderbyniol os nad yw cenhedloedd unigol yn rhydd i drefnu eu bywyd eu hunain ac i gydweithio er lles pawb yn gyffredinol.

O ddeall cyfalafiaeth yn drefn lle mae arian yn ben – lle, mewn gwirionedd, mae arian yn rheoli pobl – a sosialaeth yn drefn lle mae pobl yn rheoli arian ac yn rhoi lles cymdeithas o flaen chwant unigol a gorelwa ar draul pobl eraill, does dim dwywaith (o leiaf nes i Tony Blair ddod yn arweinydd y Blaid Lafur) fod y Blaid Lafur a Phlaid Cymru ar yr un ochr i'r ffens.

Wedi'r Ail Ryfel Byd

Cymerwyd camau mawr gan y Llywodraeth Lafur wedi'r Ail Ryfel Byd i adeiladu ar y sylfaen a osodwyd gan Lloyd George cyn y Rhyfel Cyntaf. Mae'n ddiddorol nodi'r rhan a gymerodd Cymry yn y fenter hon. Yn bennaf oll, wrth gwrs, roedd Aneurin Bevan, sylfaenydd y Gwasanaeth Iechyd Cenedlaethol a seiliwyd i raddau helaeth ar ei brofiad o wasanaeth iechyd cymunedol oedd ar waith yn Nhredegar, ei dref enedigol. Roedd y gwasanaeth hwn yn fenter gydweithredol leol a drowyd yn wasanaeth cenedlaethol gan Bevan. Er gwaethaf anawsterau lu a bwriad y Torïaid i'w breifateiddio, fe sicrhaodd i ni'r gwasanaeth iechyd gorau a mwyaf pris-effeithiol yn y byd hyd heddiw. Y datblygiad pwysig arall oedd sefydlu'r gyfundrefn Yswiriant Cenedlaethol yn sail i'r gyfundrefn les – a phwy oedd wrth y llyw ond Cymro arall, Jim Griffiths, Aelod Seneddol Llanelli.

Yn fy marn i, dyw'r ffaith mai Cymry oedd wrth y llyw mewn datblygiadau fel hyn ddim yn gyd-ddigwyddiad. Roedd eu diddordeb a'u hagwedd at y materion hyn wedi eu gwreiddio'n ddwfn yn ein hanes. Bu bron y cyfan o'n prif feddylwyr yn radicaliaid ac mae ein pobl bob amser wedi pleidleisio o blaid pleidiau a ystyrid yn radical neu'n flaengar eu hagwedd. Pan fu gennym yr hawl i wneud penderfyniadau drosom ein hunain mewn materion cymdeithasol, ffafriwyd cydraddoldeb a thegwch cymdeithasol uwchlaw ystyriaethau eraill bob tro. Mae'n ddiddorol cofio pan sefydlwyd Cynulliad Cenedlaethol Cymru yn sgîl refferendwm 1997, yr enillodd record fyd-eang, hyd yn oed cyn iddo gwrdd am y tro cyntaf, gan i ni ethol yr un nifer o fenywod ag o ddynion – ac ymhen blwyddyn neu ddwy roedd mwy o fenywod na dynion yng nghabinet ein Llywodraeth, record fyd-eang arall!

Hamdden, y Celfyddydau a'r Gwyddorau

Ni chyfyngwyd cyfraniad Cymru yn fyd-eang i bolisïau cymdeithasol blaengar yn unig, wrth gwrs. Bu Cymry, yn ddynion ac yn ferched, yn amlwg iawn mewn mabolgampau, mewn busnes ac adloniant ac yn y celfyddydau a'r gwyddorau. Afraid sôn am y gêm a gysylltir yn arbennig â Chymru. Cydnabuwyd Barry John yn 'Frenin' rygbi a dyfarnwyd Gareth Edwards y chwaraewr rygbi gorau erioed mewn polau piniwn. Mae enwau fel Bleddyn Williams, JPR Williams, Gerald Davies a Shane Williams ymhlith chwaraewyr gorau'r byd, ac mae gennym y stadiwm rygbi orau yn y byd hefyd. Ym myd y bêl gron, mae Cymry hefyd ymhlith goreuon y byd, gyda chwaraewyr megis John Charles, Ian Rush, Ryan Giggs a Gareth Bale.

Ym myd cerddoriaeth boblogaidd mae pobl fel Tom Jones, Shirley Bassey, y Manic Street Preachers, y Stereophonics a'r Super Furry Animals yn sêr rhyngwladol. Mae Cymry hefyd ymhlith cantorion opera gorau'r byd a Geraint Evans, Gwyneth Jones,

Stuart Burrows, Margaret Price, Dennis O'Neill a Bryn Terfel wedi canu'n gyson yn rhai o brif dai opera'r byd. Ymhlith ein hactorion enwog rhaid cynnwys Richard Burton, Siân Phillips, Anthony Hopkins, Ioan Gruffudd, Rhys Ifans, Michael Sheen, Matthew Rhys a'r actor/ddramodydd Emlyn Williams.

Ar wahân i'r nifer fawr o feirdd a ganodd yn y Gymraeg, mae Cymry hefyd wedi cynhyrchu rhai o'r beirdd diweddar gorau yn yr iaith Saesneg, gan gynnwys Dylan Thomas, Vernon Watkins, R S Thomas a Dannie Abse. Mae ein cyfansoddwyr amlwg yn cynnwys Grace Williams, Ivor Novello, Daniel Jones, William Mathias ac Alun Hoddinott, ac mae Richard Wilson, Thomas Jones (Pencerrig), Augustus John, Gwen John a Kyffin Williams ymhlith ein harlunwyr enwog. Mae'r oriel gelf yn ein Hamgueddfa Genedlaethol yn cynnwys y casgliad gorau o waith yr Argraffiadwyr unrhyw le y tu hwnt i Baris trwy haelioni'r chwiorydd Davies, Gregynog – wyresau y David Davies a adeiladodd ddociau'r Barri.

Sefydlwyd ein Cwmni Opera Cenedlaethol ein hunain ym 1946 – yn gwmni amatur i ddechrau, ond un a ddatblygodd yn fuan yn gwmni cwbl broffesiynol â'i gerddorfa ei hun. Sefydlwyd Cerddorfa Genedlaethol Ieuenctid gyntaf y byd

Bryn Terfel.

95

yma yng Nghymru ym 1948. Ni hefyd a benododd Gomisiynydd Plant cyntaf y byd ac yn fuan wedyn Gomisiynydd i'r Henoed, i geisio diogelu buddiannau rhai o aelodau mwyaf bregus ein cymdeithas yn yr oes gymhleth fodern hon.

Mae Cymru hefyd wedi cynhyrchu pedwar enillydd Gwobr Nobel: Syr Clive Granger o Abertawe mewn Economeg, Brian Josephson o Gaerdydd mewn Ffiseg (roedd y Josephson Junction a gynlluniodd ef yn hanfodol yn nhwf y We Fyd-eang), Syr Martin Evans o Brifysgol Caerdydd am ei waith ymchwil i natur celloedd embryonig, a'r athronydd Bertrand Russell am Lenyddiaeth. O'r gorau, gellid dadlau nad Cymro go iawn mo Russell, ond fe'i ganwyd yn Nhryleg, Sir Fynwy a threuliodd flynyddoedd olaf ei fywyd yn Sir Feirionnydd.

Gallwn fynd ymlaen ac ymlaen! Rwy'n gobeithio i mi ddangos, fodd bynnag, fod gan ein cenedl fechan ni, o ryw dair miliwn o bobl erbyn hyn, hanes y gallwn ymfalchïo ynddo. Wrth edrych ymlaen i'r dyfodol, mae'n hanfodol weithiau inni edrych yn y drych cefn i weld beth sydd y tu ôl inni. Credaf pe baen ni'r Cymry'n fwy ymwybodol o'n hanes, ein stori genedlaethol, y byddai mwy o hyder gennym wrth wynebu'r dyfodol ac adeiladu cymdeithas well.

'Os hoffech wybod mwy am
y cyfraniad enfawr a wnaeth y genedl
fechan hon i'r byd, darllenwch y llyfryn hwn.'

A wyddoch chi mai Cymro oedd tu ôl i ddatblygu
theori esblygiad?

• bod Cymraes o leiaf yr un mor gyfrifol am
  ddatblygu'r maes nysrio â Florence Nightingale?

• bod y wlad hon ar y blaen o ran cyfraith a deddfau
  yn yr oesoedd canol?

• iddi gynhyrchu'r unig deulu o linach brenhinol
  effeithiol a gafodd ynysoedd Prydain, a'r prif
  weinidog mwyaf medrus?

Mae'r gyfrol hon yn llawn ffeithiau dadlennol a
difyr am Gymru a'i hanes rhyfeddol a chyfoethog.

Yn genedlaetholwr ac yn weithredwr gwleidyddol, cafodd
Emrys Roberts ei eni yn Leamington Spa, Swydd Warwig yn 1931.
Dechreuodd ddysgu Cymraeg pan symudodd y teulu i Gaerdydd
yn ystod yr Ail Ryfel Byd. Cafodd radd ag anrhydedd mewn
Hanes yng Ngholeg y Brifysgol, Caerdydd, ac mae wedi darlithio ar
Hanes Cymru a'r Unol Daleithiau yn Adran Allanol y Brifysgol.

ISBN 978-1-78461-396-9

Cynllun y clawr:
Olwen Fowler

www.ylolfa.com
£3.99